Feldhau:

Echt abgefal

CW00733662

Für Lotte, Jan und Simon

Hans-Jürgen Feldhaus (*1966) verbrachte seine Kindheit in Ahaus (Westf.). Und von da aus ging es in den großen Ferien nach Österreich. Immer! Jedes Jahr! Mit seinen Eltern! Und mit einem Mercedes Benz 200! Und einem Haufen Matchbox-Autos!
... und einer Schwester mindestens!

Also mindestens Andrea! War aber ganz okay! Und inspirierend für dieses Buch auch ein bisschen!

Heute lebt und arbeitet Feldhaus in Münster. Und von da aus geht es in den großen Ferien immer *irgendwohin*. Mit einem Motorrad meist ...

Mehr zum Grafiker und Autor Feldhaus findet sich auch unter www.hjfeldhaus.de

BLABLABLA!

Feldhaus

ECHT ABGEFAHREN!

Ein Comic-Roman

Deutscher Taschenbuch Verlag

Das gesamte lieferbare Programm von dtv junior
und viele weitere Informationen finden sich unter
www.dtvjunior.de

Originalausgabe
© 2012 Deutscher Taschenbuch Verlag GmbH & Co. KG,
München
Umschlag- und Innengestaltung: Hans-Jürgen Feldhaus
Lektorat: Maria Rutenfranz
Gesetzt aus der Thesis, Schriftfamilie: TheSans
Satz: Hans-Jürgen Feldhaus
Druck und Bindung: Druckerei Kösel, Krugzell
Printed in Germany • ISBN 978-3-423-71502-7

REISETAGEBUCH VON JAN HENSEN

START: HAMBURG (DEUTSCHLAND)
REISEZIEL: COMER SEE (ITALIEN)
REISEDAUER: 14 TAGE
REISEGESELLSCHAFT: MAMA, PAPA, HANNAH (14), JAN (12)
REISEMOBIL: HÄSSLICHER ALTER VW-KOMBI (14)

ALSO ICH QUASI°!

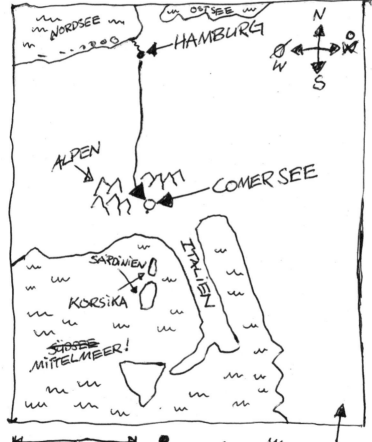

NORDSEE

OSTSEE

HAMBURG

N
O
W
S

ALPEN

COMER SEE

ITALIEN

SARDINIEN

KORSIKA

~~SÜDSEE~~
MITTELMEER!

10000 KILOMETER
(UNGEFÄHR!)

STÄDTE   COMO   WASSER   LAND

Italien ist saudoof!

Und damit ist praktisch eigentlich schon alles gesagt, was man über dieses Land überhaupt sagen kann!

... okay – die Pension, der See, das Essen und so weiter ... alles top! Und selbst Hannah (das ist meine große, böse Schwester!) habe ich einigermaßen unter Kontrolle!

Aber ich hatte eine unheimliche Begegnung! Gleich heute Morgen! Unten am Comer See! Plötzlich war es da! Das Grauen! ... Hendrik Lehmann!

Du kennst doch diese Typen aus den Mathebüchern, oder? Ich meine, die aus den Textaufgaben! Du weißt schon: Torsten! Carsten! Sören!

Einer von denen oder gleich alle zusammen backen immer Apfelkuchen oder irgendeinen anderen Scheiß. Jedenfalls kaufen sie dafür einen Haufen Äpfel und unterhalten sich dann: »Oh, Torsten! In 14 meiner 59 Äpfel ist jeweils ein Wurm drin!«

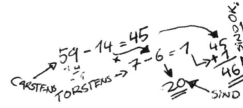

»Ja, Carsten!«, sagt der Torsten. »Und von meinen 7 Äpfeln sind 6 faul!«

»Wie viel Prozent aller Äpfel können wir für unseren Apfelkuchen nehmen?«, fragt sich dann der Sören.

Und dann musst du für diese Hirnis ausrechnen, wie viele Äpfel komplett vergammelt sind und wie viel Prozent sie davon noch für ihren bescheuerten Kuchen verwenden können!

SABINE

Und als ob das nicht schon irre genug wäre, schnappen Torsten, Carsten, Sören sich ein Messer und zerlegen ihren frisch gebackenen Apfelkuchen in 13 485 Teile! Für den B-Teil der Aufgabe! Du weißt schon! Der Moment, wenn irgendeine **KLASSENKAMERADIN** ins Spiel kommt und oft *Sabine* heißt!

ECHT KRANK!

696969696969

46
+20
66

INSGESAMT
ALSO: 100% = 66
X% = 46
1% = X

66 : 100 = 0,66 = 1%
60¢
600
6%

46 : 0,66 = 69,69...
396
6 40
574

Und die sagt dann: »Oh, Torsten, Carsten, Sören! Ein Apfelkuchen! Zerlegt in 13 485 Teile! Kann ich davon bitte 1/8 bekommen?«

Und du ahnst es schon! Weil jetzt darfst du nämlich für diese Deppen noch mal rumrechnen, wie viele Teile sie von ihrem Matschekuchen an Sabine abdrücken werden!

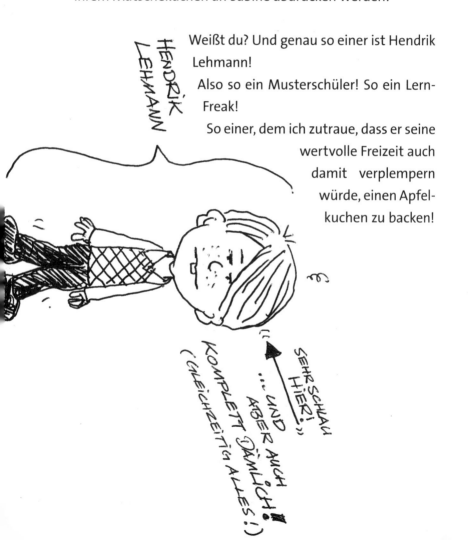

Weißt du? Und genau so einer ist Hendrik Lehmann!

Also so ein Musterschüler! So ein Lern-Freak!

So einer, dem ich zutraue, dass er seine wertvolle Freizeit auch damit verplempern würde, einen Apfelkuchen zu backen!

Nur mit dem Unterschied, dass keine Sabine des kompletten Universums von Hendrik Lehmann auch nur 1/8 davon geschenkt haben wollte!

Das kann ich deshalb mit hundertprozentiger Sicherheit sagen, weil Hendrik Lehmann nämlich in dieselbe Klasse geht wie ich. Und das, obwohl der erst zehn ist und die meisten von uns ja schon zwölf. Was wiederum nicht daran liegt, dass die meisten von uns vielleicht schon mal hängen geblieben sind, sondern weil Hendrik Lehmann ein Schuljahr übersprungen hat. Einfach so! Eben wegen extremster Einsen-Schreiberei!

Und ausgerechnet diesen Hendrik Lehmann habe ich heute Morgen unten am Comer See getroffen. Oder besser gesagt, ich habe ihn aus Versehen rückwärts über den Haufen gerannt, als ich Frisbee gespielt habe. Mit Jasper nämlich. Der ist schätzungsweise genauso alt wie ich, ist in derselben Pension wie wir, schätzungsweise mit seinen Eltern, und kommt schätzungsweise aus Holland. Aber das ist alles nicht sicher, weil ich versteh kein Wort Holländisch. Wenn es überhaupt Holländisch ist, was er da redet. Aber er ist in Ordnung. Jedenfalls kann man mit ihm super Frisbee spielen ...

... wenn einem nicht gerade Hendrik Lehmann über den Weg latscht.

Das musst du dir mal vorstellen! Die komplette Erde hat eine Fläche von ungefähr 510 000 000 Quadratkilometern! **FÜNF-HUNDERT-ZEHN-MILLIONEN!** Das weiß ich deshalb so genau, weil ich es im Geografietest neulich nicht ganz so genau wusste, und weil ich auch ein paar andere Dinge nicht ganz so genau wusste, habe ich den Test versägt und musste ihn wiederholen! Daher!

Aber noch mal: Stell dir vor! Wie groß ist die Wahrscheinlichkeit, dass man auf diesem ziemlich großen Planeten an einem winzigen Punkt, an dem man vorher noch niemals war, ausgerechnet auf den Typen trifft, der einem in der Klasse 6b einer Hamburger Schule am allermeisten auf den Sack geht?

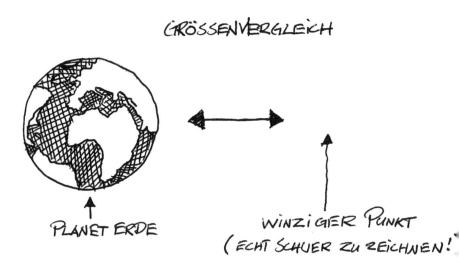

GRÖSSENVERGLEICH

PLANET ERDE

WINZIGER PUNKT
(ECHT SCHWER ZU ZEICHNEN!)

Ich würde sagen, die Wahrscheinlichkeit geht fast gegen **NULL**! Aber eben nur fast! Weil ich hab Hendrik Lehmann ja heute Morgen eben an diesem einen winzigen Punkt über den Haufen gerannt!

Und weil das alles so dermaßen unwahrscheinlich ist, habe ich natürlich im Traum nicht daran gedacht, dass es seine Hand sein könnte, an der ich ihn gerade wieder aus dem Ufermatsch hochziehen wollte.

Ich sage also: »Oh, Entschul...«

... und dann seh ich, was an der Hand hängt, und sage weiter: »...digung-scheiße-noch-mal! Lehmann! Was machst du denn hier?«

Und dann lag er zum zweiten Mal in der Pampe, weil ich die Hand mit dem kompletten Hendrik Lehmann dran vor Schreck wieder losgelassen habe.

Er hat sich dann alleine hochgerappelt und quäkte los: »Jan? **JAN!** So eine Freude!«

Und ich dann wieder: »Ja ... Wahnsinn ... echt toll! Also: sorry wegen eben! Mach's gut! ...schüss!«

Dann bin ich weiter. Schnell weiter. Nur weg von Hendrik Lehmann. Habe das Frisbee aufgehoben und zu Jasper rübergebrüllt, was er mir schätzungsweise auf Holländisch beigebracht hat: »Let op! Snapp!«

TULPEN - HAT ER NICHT DABEI

GOUDA - FEHLANZEIGE

WINDMÜHLE - NICHT ZU SEHEN

HOLZSCHUHE - TRÄGT ER NICHT.

JASPER! WIRKLICH AUS HOLLAND?

So! Jetzt sagst du dir wahrscheinlich: »Jan hat das alles ganz richtig gemacht! Idiot erkannt – Idiot gebannt! Also links liegen gelassen und da weitergemacht, wo's vorher schön war! – Was ist sein Problem?«

Ich sag dir, was mein Problem ist! Hendrik Lehmann ist mein Problem! Der Typ schreibt reihenweise Einsen und ist ein echt helles Köpfchen, aber er schnallt einfach nicht, wenn man ihn links liegen lässt!

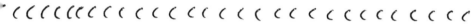

Denn – pass auf: Als ich das Frisbee in einer wunderschönen, geraden Flugbahn zu Jasper rüberwerfe, steht Hendrik Lehmann plötzlich in meiner wunderschönen, geraden Flugbahn und kriegt die Scheibe voll an sein helles Köpfchen und fällt wieder um.

Jasper und ich sind sofort zu ihm hin, um zu sehen, ob mit ihm alles okay ist oder ob er aus der Nase blutet oder aus der Stirn oder ein Auge verloren hat oder so was.

War aber alles nicht! Nicht ein verdammter Kratzer! Hendrik steht auf und sagt mit seiner Quäkstimme: »Es tut mir sehr leid, dass ich im Weg stand! Darf ich mitspielen?«

Ich sofort: »**NEIN!** Weil ...«

Und Jasper aber: »**JAU!**«

Keine Ahnung, ob Jasper überhaupt kapiert hat, was Hendrik wollte. Jedenfalls konnte ich da nichts mehr machen und er durfte mitspielen. Saudoof ist das alles!

TOCK!

HENDRIK LEHMANN
(SEHR SCHÖN GETROFFEN!)

Ich will nicht, dass Hendrik Lehmann mitspielt. Ich will nicht mal, dass er hier ist. Er soll abhauen! Ich hab Urlaub.

... okay! Nur, dass das mal klar ist: Ich gehöre NICHT zu den Dumpftretern, die sich ganz automatisch auf alles stürzen, was vielleicht einen halben Zentimeter kürzer und dafür aber ganz normal sechs ganze Schulnoten besser ist als sie selbst. Wirklich nicht!

Wenn es danach ginge, hätte ich ja heute Morgen schon das ganze Dumpftreter-Arschloch-Programm abfahren müssen. Weil Hendrik Lehmann reicht mir größentechnisch gesehen gerade mal bis zu den Knien oder so und hat dafür aber bestimmt sechstausendmal mehr in der Birne als ich selbst!

DUMPFTRETERBEISPIEL
(HIER: JENS S. AUS DER 7c)

Das ist es also nicht!

... es ist kompliziert!

Angenommen, du spielst ein Spiel. Also jetzt nicht Frisbee oder so was! Ich meine ein Computerspiel. Also so eins, bei dem du – sagen wir mal – in zehn Leveln die Welt retten musst! Auf Zeit!

Klar so weit!

Du rennst also durch die ganzen Level, machst hier und da ein paar Cyberzwerge platt, weil die doof im Weg rumstehen, kommst dann bis zum zehnten Level, um da pünktlich die Welt zu retten. Und da stellst du aber fest, dass dir das entscheidende Ding fehlt, um die Katastrophe zu verhindern. Zum Beispiel ein Wasserschlauch. Über den bist du aber

i-VERSION!

schon in Level 1 rumgestolpert. Und genau diesen Wasserschlauch hättest du Blindfisch mitnehmen müssen. ...3, 2, 1, ... die Welt macht **PUFF** und du hast das Spiel vergeigt.

So! Und was machst du jetzt? – Klar! Du drückst auf den Button unten rechts im Schirm und spielst noch mal! Nur dass du diesmal etwas pfiffiger bist und den verdammten Schlauch einpackst, mit dem du die Welt retten kannst!

Weißt du, und ganz genau so einen Button hätte ich gern! Aber in echt! Und daran muss ich halt die ganze Zeit wieder denken, seitdem Hendrik Lehmann hier aufgekreuzt ist. An den Button und das Spiel, das wir gespielt haben. Hendrik und ich! Und ein paar andere Jungs! Vor den Ferien! Auf der Klassenfahrt!

Wir haben das Spiel gespielt, vergeigt und es endete in einer Katastrophe. **PUFF**!

DER DRÜCK-MICH-UND-ALLES-WIRD-WIEDER-GUT-BUTTON

(P
P)

BUTTON

HIER ABER LEIDER NUR DIE „LECK-MICH-AM-A-

Nur mit dem klitzekleinen Unterschied, dass das Spiel kein Computerspiel war und kein Button der Welt die Katastrophe rückgängig machen kann. Die war nämlich echt. Also die Katastrophe. Leider!

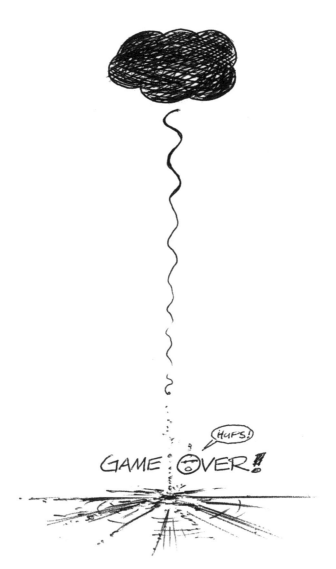

Italien ist ein sehr schönes Land!

Hendrik Lehmann ist nämlich spurlos verschwunden. Jedenfalls, als wir heute wieder zum See runter sind, war weit und breit nichts von ihm zu sehen.

Jasper war aber wieder da. Und ein Junge, der Dimmitrie oder so ähnlich heißt. Wo der nun herkommt und welche Sprache er spricht, kann ich dir nun nicht mal schätzungsweise sagen.

COMER SEE

← HIER SIND WIR ÜBRIGENS!...

ODER HIER!?

Weil wenn der den Mund aufmacht, weiß ich nicht mal, ob er gerade was sagen will oder ob er vielleicht doch nur gerade an ein paar verdammt heißen Pommes rumwürgt, die ihm vielleicht im Hals stecken geblieben sind.

Papa denkt, es ist Russisch. Mama denkt, dass der Junge und seine Eltern aus Polen kommen. Hannah denkt gar nichts, weil sie gar nicht denken kann.

Egal! Dimm-Itri kommt irgendwoher, spricht irgendwas und ist aber auch absolut in Ordnung. Da hab ich irgendwie wohl echt Glück gehabt. Ich meine – Jasper, Dímìtríî und ich können uns jetzt nicht gegenseitig die besten Witze erzählen, weil ja jeder für sich genommen eine komplett andere Sprache spricht, aber verstehen tun wir uns trotzdem super. Also mehr mit Händen und Füßen.

Hast du eigentlich Freunde? Oder bist du eher so der Hendrik-Lehmann-Typ, der auf dem Schulhof immer alleine rumsteht und an seiner Kakaotüte rumnuckelt?

Das will ich mir eigentlich nicht vorstellen. Ich stell mir vor, dass du ein guter Typ bist. Einer, der mein Freund sein könnte. Auch wenn ich natürlich nicht den blassesten Schimmer habe, wer du eigentlich bist.

Weißt du, Papa sagt, ich soll so tun, als ob ich mit meinem Buch rede, wenn ich was reinschreibe.

Das ist aber Schwachsinn! Ein Buch vollquatschen! Kein Mensch tut so etwas! »Hey Buch! Alles klar so weit? Mann, ist das toll, dass ich mit dir reden kann!« Kompletter Schwachsinn! Und wenn du es genau wissen willst: Eigentlich ist es auch kompletter Schwachsinn, hier überhaupt etwas reinzuschreiben. Versteh mich nicht falsch! Das hat nichts mit dir zu tun! Ehrlich!

Aber eigentlich dürfte es dieses Buch gar nicht geben.

Eigentlich sollte ich nämlich jetzt, da ich ein bisschen Zeit habe, also mir total langweilig ist und ich irgendwie versuche, die Zeit bis zum Abendessen totzuschlagen, also eigentlich sollte ich jetzt mein iPad anwerfen. Du weißt schon; so ein superflaches Hammerteil mit wundervollen Apps – den abgefahrensten Spielen aller totzuschlagender Zeiten!

Ich hab aber überhaupt kein iPad!

Ich hatte es mir aber gewünscht! Zu meinem Geburtstag vor einer Woche! Hab es aber nicht bekommen zu meinem Geburtstag vor einer Woche!

Und sehr wahrscheinlich werde ich es auch zu dem Geburtstag, den ich in zwei Millionen Wochen haben werde, nicht bekommen! Also praktisch nie! Weil Mama und Papa denken, dass es meiner **LERN-KOM-PE-TENZ** schadet.

Nur mal so für den Fall, dass du keine Ahnung hast, was Lernkompetenz bedeutet: Lernkompetenz hat damit zu tun, wie Leute – also Typen wie du und ich – in der Schule klarkommen. Wie sie Infos verarbeiten. Oder wie lange sie brauchen, um zu schnallen, wie viele Teile Torsten-Carsten-Sören von ihrem Apfelkuchen an Sabine abdrücken müssen.

... dabei herauszufinden, wie viele Tassen dem Typen im Schrank fehlen, der sich solche Aufgaben ausdenkt, gehört, glaube ich, aber nicht dazu.

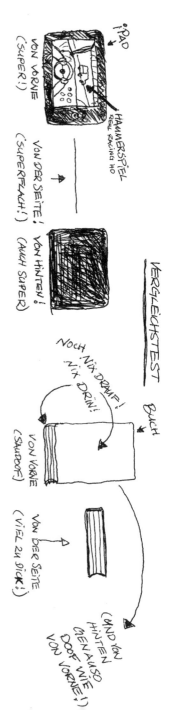

Jedenfalls: Das ist Lernkompetenz und meine Eltern reden halt gern drüber.

Tja, und seit sie auf dem letzten Elternsprechtag durch meinen Klassenlehrer, den feinen Herrn Krüger, erfahren haben, dass meine auch noch **MANGELND** ist, fällt das Wort täglich.

Dass ich dabei bin und im Großen und Ganzen verstehe, dass im Großen und Ganzen von mir die Rede ist, scheint ihnen irgendwie komplett egal zu sein.

Schwamm drüber! Meine Eltern meinen es ja bestimmt nur gut mit mir. Auch wenn sie mir zu meinem Geburtstag letzte Woche nun mal kein überlebensnotwendiges iPad geschenkt haben.

Aber dafür neben anderen superoriginellen Geschenken * dieses Notizbuch mit echten Blättern und sogar ganz ohne *Rächtschraibprogram!* Oder siehst du da irgendwo eine Markierung unter *Rächtschraibprogram?* Nein, siehst du nicht!

Das einzige Programm, das hier läuft, heißt: *Kuli gegen Papier! Ein abgefahren superödes Zeit-Totschlage-Spiel für Schwachmaten wie Jan Hensen, die sonst nix zu tun haben!* ... *freigegeben von 11 bis 111!*

LEERBUCH (HAHA~NNNGNKPY)

SOCKEN!

SCHULTASCHE

PUZZLE
(MIT 3000000 TEILEN)
(FÜR MICH!)

WAVEBOARD
(BEi AMAZON FÜR
NUR 43,87€!)

Wo war ich eigentlich stehen geblieben?

Ach ja! Richtig! – Freunde!

Und? Hast du welche? Ich ja! Meine heißen Gerrit, Cemal und Sebastian! Wobei Gerrit ganz klar auf Platz 1 meiner persönlichen Kumpel-Liga steht. Aber Cemal und Sebastian sind natürlich auch top. Wir machen fast alles zusammen!

SEBASTIAN GERRIT CEMAL

Nur nicht zusammen in die Ferien fahren. Das mach ich dann ja neuerdings mit dem Idioten Hendrik Lehmann. Gott, wenn die das wüssten! Die würden sich wegschmeißen vor Lachen! Weißt du, der Witz ist, dass ich nämlich schon vor den Ferien ziemlich viel mit Hendrik Lehmann zusammen machen durfte ... **MUSSTE!** Aber ich nicht alleine! Meine Kumpels auch!

... UND VON HANNAH 1 ALTES MICKEY-MAUS-HEFT!

Auf dieser Klassenfahrt nämlich. Die ging in den Harz. In der Nähe von so einem Berg mit dem ziemlich abgefahrenen Namen Brocken! Und nicht weit weg davon gibt es wirklich einen Ort, der Elend heißt! Witzig, oder?! Da waren wir aber gar nicht! Wir waren in Schierke und dieses Dorf liegt direkt am Brocken und da fing praktisch unser eigenes Elend an!

Wir waren da in einer Jugendherberge, die von außen aussieht wie ein Hochsicherheitsgefängnis für Massenmörder. Von innen war es aber ganz okay. Also die Vierbettzimmer mit den Hochbetten waren wirklich super.

Gerrit, Cemal, Sebastian und ich wollten natürlich zusammen auf ein Zimmer und da haben wir direkt eins von denen ganz normal gestürmt.

Tür verriegelt, Betten belegt, alles perfekt.

Eigentlich. Denn dann mussten wir die Tür doch wieder aufmachen, weil Herr Krüger nämlich davorstand und geklopft hat.

ECHTE LÜCKEN!

HERR KRÜGER

MIT LEHRER-STRICK-PULLUNDER... ...KEIN WITZ!

Herr Krüger ist unser Klassenlehrer. Aber wenn wir gewusst hätten, was uns erwartete, hätten wir niemals aufgemacht und ganz sicher die Tür noch mit Betten, Stühlen und dem Spind verbarrikadiert!

Herr Krüger kam nämlich nicht allein ins Zimmer. Er brachte Hendrik Lehmann mit und sagte: »Jungs, nun macht mal ein bisschen Platz für euren Klassenkameraden! Der Hendrik schläft bei euch!«

»Nein, tut er nicht!«, sagen wir.

»Tut er wohl!«, sagt Herr Krüger und weiter: »Uns fehlt leider genau ein Zimmer und deswegen müssen ein paar Schüler und Schülerinnen auf die anderen Zimmer verteilt werden! Hendrik schläft bei euch. Oder soll er etwa auf dem Flur schlafen? *Hahaha* ...«

»JA! Er soll auf dem Flur schlafen!«, sagen wir.

Und Krüger sagt: »Leute, jetzt habt euch mal nicht so! In dem Zimmer ist auch Platz für fünf Schüler!«

Da hatte der Herr Krüger natürlich recht. Und wir hätten damit auch überhaupt kein Problem gehabt. Das Problem war der Idiot Hendrik Lehmann!

Und weil die Diskussion aber so was von beendet war, wurde in einer Ecke unseres Zimmers ein Feldbett für Hendrik aufgestellt.

Herr Krüger ließ uns dann allein mit ihm, und weil der wohl merkte, dass die Stimmung bei uns echt im Keller war, quäkte er los: »Hallo Leute! Ich freue mich sehr, dass wir

zusammen dieses Zimmer teilen können! Wir werden bestimmt eine Menge Spaß miteinander haben!«

Keine Reaktion!

»... also lustige Streiche spielen!«

Keine Reaktion!

»... bei den Mädchen zum Beispiel Zahnpasta unter die
Türklinke schmieren! Kicher, kicher ...«

Keine Reaktion!

»... das wird eine Mordsgaudi!«

Dann endlich: »Ja, Aldär! Mordsgaudi! Zahnpasta unter die
Türklinke schmieren! Nä ehrlich: Riesengag!«

Das war Cemal, der das tonlos sagte, aber das war ganz
gut, dass er das sagte, weil Hendrik Lehmann nun endlich

seine Klappe hielt und nun an der Bettdecke von seinem Feldbett herumzuppelte, bis auch die letzte Falte weg war.

Dass wir einige Tage später tatsächlich noch eine Mordsgaudi haben würden, wo es praktisch um Leben und Tod ging, konnte keiner von uns fünf auch nur ahnen! Nur Zahnpasta war da absolut nicht im Spiel.

... aber Streichhölzer und blöderweise so eine Holzhütte ...

... mit Wald drum herum! ... blöderweise!

NACHT STERN STERNE STREICHHOLZ

TAG 3

Ich mache Fehler!

Beinah hat Hannah dieses Buch in die Finger bekommen. Das heißt, sie hatte es schon in ihren Fingern. Und ich will aber nicht, dass dieses Buch überhaupt in irgendwelche Finger kommt, die nicht mir gehören.

Weißt du, das geht niemanden was an, was ich hier reinschreibe, und wenn dann ausgerechnet Hannah dieses Buch in ihre Finger bekommt und dann beispielsweise auch noch lesen würde, dass ich denke, dass sie nicht denken kann, und dass ich sie überhaupt für eine komplett verstrahlte Kuh halte – also wenn sie das dann lesen würde, wäre ich ein toter Mann!

Sie hatte es aber schon in ihren Fingern. Heute Morgen, als ich noch mal zurück ins Zimmer bin, weil mir unten im Frühstücksraum aufgefallen ist, dass Mama und Papa da sind, aber im Großen und Ganzen zwei Dinge fehlen.

Erstens: Mein Buch!

Und zweitens: Hannah!

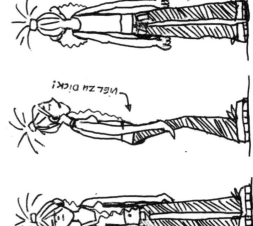

RUNDUM BESCHEUERT!

VON DER SEITE VON HINTEN

VIEL ZU DICK!

VON VORNE

HANNAH
(SCHWESTER)
14 JAHRE DOOF

Und da kam mir der Gedanke, dass es nicht gut ist, wenn mein Buch blöd auf meinem Bett rumliegt und Hannah doof rumsteht und wenn beides zur gleichen Zeit in einem Zimmer passiert!

... und was sehe ich, als ich ins Zimmer komme? Hannah mit dem Buch in ihren Fingern! Sie schlägt es auf und in einem Bruchteil einer Sekunde hechte ich von der Tür aus auf sie zu, schnapp es mir und rolle mich wie ein Profitorwart auf dem Boden ab.

... also gut, ich weiß jetzt nicht, wie groß der Bruchteil einer Sekunde von der Tür bis zu Hannah war, aber ich schwöre dir, es war verdammt schnell.

... nur die Profitorwart-Parade war jetzt nicht ganz so toll, weil da noch dieser dämliche Koffer von Hannah war, über den ich aus Versehen gestolpert bin, und dann um ein Haar mit meinem Kopf gegen die Wand geknallt wäre, wenn da nicht noch dieser Reisemüllbeutel gelegen hätte mit dem ganzen Proviant-Reste-Matsch drin.

Der Reisemüllbeutel hat den Stoß gegen die Wand abgefedert und ist aber dabei geplatzt, und deswegen sah ich dann auch aus wie diese unheimlich lustigen Zirkusclowns, die sich immer mit irgendwas Matschigem bewerfen müssen.

Jedenfalls – Hannah hätte sich vor Lachen in ihre viel zu enge Hose pinkeln können, als sie mich sah. Und das war eigentlich mein Glück, weil sie nämlich komplett vergessen hat, ihr Zickenprogramm zu starten. Also so was in der Art wie: Was soll der Scheiß? – Du hast meinen Koffer berührt! – Ich hacke dir jetzt den Fuß ab! ... Und eben: Was steht in dem Buch drin? Gib es sofort wieder her!

Mein Glück! Denn rein körperlich gesehen hat Hannah die Macht über mich. Also wenn Mama und Papa gerade mal nicht hingucken. Die sind so etwas wie Schiedsrichter beim Fußball. Nur dass sie eben manchmal nicht alles sehen und in solchen Momenten versucht Hannah jedes Mal, mir den Fuß abzuhacken. Also bildlich gesprochen, wenn du verstehst, was ich meine.

Jedenfalls hat sie
das alles vergessen, weil
sie sich dann nämlich tatsächlich in die Hose gemacht hat und
mich angezischt hat, ich solle mich
ganz schnell aus dem Zimmer trollen
und zurück zum Frühstücksraum stolpern!
Und wenn ich nur ein Wort darüber verliere,
würde sie mir mit einem stumpfen, rostigen Messer die Zunge abschneiden.

Das war mir alles recht. Und ich bin dann ganz
schnell raus. Mit dem Buch. Zum Frühstücksraum, wo
Mama und Papa mich fragten, warum ich aussehe wie
der Reisemüllbeutel und wo Hannah bleibt.

Und da muss ich nun selber sagen: Da bin ich ja echt
fair! Ich habe nicht verraten, dass Hannah sich in die
Hose gemacht hat!

... okay, okay! Sie hätte mir ja dann auch die Zunge
abgeschnitten, aber das zählt nicht!

Das mit dem Müll auf dem Kopf habe ich irgendwie
erklärt und das Buch dann in meinem Rucksack verschwinden lassen.

Hannah kam dann ungefähr drei Stunden
später frisch geduscht und neu bemalt runter. Mit einer anderen, viel zu engen, aber
trockenen Hose!

← HIER ÜBERALL TAGEBUCH-STRESSTEST NR.2! ↑

← HIER SCHON ERSTER GROSSER UMWEG!

... heute waren wir wandern!

Ist wirklich ganz nett hier. Ich meine – der See, die Wälder und die Berge hier sind okay. Aber dafür hätte man nun wirklich nicht nach Italien fahren müssen. In Hamburg gibt's zwar keine Berge, aber dafür hat es einen Stadtpark mit einem kompletten Wald und einen See gibt es da auch. Okay, der See ist mehr so ein Teich und der Wald ist jetzt auch nicht unbedingt ganz so groß, aber es ist schön da. Ich treffe mich da öfter mal mit meinen Kumpels, also Gerrit und den anderen.

Jedenfalls würde ich was drum geben, gerade da zu sein! Weil hier werde ich verfolgt! Von diesem Idioten Hendrik Lehmann. Der war nämlich heute auch wandern! Mit seinen Eltern! Die kannte ich vorher noch gar nicht. Woher auch? Ich habe sie ja vorher noch nie gesehen. Auch nicht bei Hendrik Lehmann zu Hause. Weil ich selbstverständlich auch noch nie bei ihm zu Hause war! Auch nicht auf Geburtstagen oder so was. Keiner war das! Selbst dann nicht, als er die komplette Klasse mal zu seinem Geburtstag eingeladen hat. Vor ein paar Monaten war das. In der kleinen Pause. Da hat er in den Klassenlärm reingequäkt, dass er um Aufmerksamkeit bittet, und als dann tatsächlich alle einigermaßen ruhig waren, sagte er:

»Morgen in einer Woche habe ich Geburtstag. Und zu diesem Anlass möchte ich eine Fete steigen lassen. Hierzu möchte ich recht herzlich einladen!«

... dann: Totenstille! Für einen kurzen Moment war Hendrik Lehmann tatsächlich der Mittelpunkt des Geschehens, weil ihn alle schweigend und ernst ansahen. Aber der Moment war dann auch schnell wieder vorbei und alle haben da weitergemacht, wo Hendrik Lehmann sie vorher unterbrochen hat.

Weißt du, er peilt es einfach nicht! Er ist wirklich verdammt schlau und ziemlich gut in der Schule und sehr wahrscheinlich kann er auch super Apfelkuchen backen!

Aber da darf er sich nicht wundern, wenn er den auch auf seinem Geburtstag wieder alleine mampfen musste.

... zu diesem Anlass möchte ich eine Fete steigen lassen. Hierzu möchte ich recht herzlich einladen!

Da kann sich doch jeder an einer Hand abzählen, was einen da erwartet: Lustige Papphütchen, Topfschlagen, grüner Eistee und **APFELKUCHEN**, zerlegt in 13 485 Teile!

WEIL MAN VON DA NACH DA GUCKEN KONNTE!!!

HIER: DER ABSOLUT SINNLOSE ABSTECHER!

ALLEN VORAN: MAMA ... ... AM RANDE DES WAHNSINNS!

... außerdem hat der Blödmann das Wort *euch* vergessen. Ich möchte **EUCH** einladen!

... wie bin ich da jetzt eigentlich draufgekommen???

   ... Einladung – Geburtstag – Eltern kenn ich nicht – woher auch – ich werde verfolgt – von Idiot Lehmann – beim Wandern! – **WANDERN!** Das war's! Genau!

   Das musst du dir mal vorstellen: Da latscht man ungefähr 3000 Kilometer sinnlos durch die Gegend! Kommt dann end-

lich an so einer Bretterbude an, wo man sich vor Erschöpfung sogar auf die knallharte Tischbank freut, die davorsteht! Stürzt halb verdurstet das Zeug runter, was die Leute hier Cola nennen! Und dann prustest du das ganze Zeug vor Schreck wieder aus, weil sich von links wieder die Quäkstimme von Hendrik Lehmann in dein Ohr bohrt!

»Oh, hallo Jan! Ist das nicht ein schöner Zufall?«

Nein, ist es nicht! Erstens nicht schön und zweitens kein Zufall! Das kann doch kein Zufall mehr sein, oder?!

Jedenfalls habe ich mich wieder tierisch erschrocken und Hendrik Lehmann hat die volle Ladung Cola abgekriegt, die ich da ausgeprustet habe.

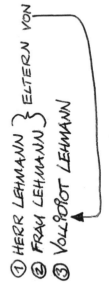

»**JAN!** Was soll das?«, schimpft Mama.

»Das war keine Absicht!«, sage ich.

»Dann entschuldige dich bei dem Jungen!«, befiehlt Papa.

»…schuldigung–Hendrik–war–keine–Absicht.«

»Hendrik?«, fragt Papa nach. »Ihr kennt euch?«

»Ja, Herr Hensen!«, antwortet Hendrik für mich. »Aus der Schule! Der Jan und ich gehen in dieselbe Klasse.«

Sagt es und stellt meinen Eltern dann seine Eltern vor, die ebenfalls am selben Tisch sitzen.

Und dann wurde viel geplaudert und gelacht − über den Zufall, dass man sich ausgerechnet hier zum ersten Mal trifft und sich wundert, dass man sich nicht vorher schon mal getroffen hat und dass es aber doch eine schöne Idee sei, wenn man sich hier vielleicht mal auf einen Wein verabreden könne.

Und genau an dieser Stelle hätte ich fast schon wieder die neue Ladung Cola ausgeprustet.

Eine Verabredung! Mit den Lehmanns!

»Oh, Jan! Das wäre doch prima, dann sehen wir uns ja bald schon wieder!«, quäkt Hendrik vor Freude.

»Ja ...!«

»Ja − WAS, Jan?«, sagt Mama.

»Ja−prima−ich−freu−mich!«

»Na also!«, und zu den Lehmanns dann: »Wie wäre es mit morgen Abend?«

»Morgen geht nicht«, falle ich den Lehmanns schnell in die Antwort. »Da hab ich keine Zeit, weil ich mich mit Jasper und Dings verabredet habe!«

»Aber doch nicht abends!«, sagt Papa.

»... ... ...«, sage ich, weil mir darauf nix mehr einfällt, weil es eh gelogen war.

Und dann haben wir uns mit den Lehmanns verabredet, uns verabschiedet und vorher noch Hannah aus ihrem Koma wachgerüttelt, weil die musste ja auch wieder die ganzen 3000 Kilometer mit runter zur Pension kommen. Schade eigentlich. Ich hätte sie schlafen lassen!

Na ja, jedenfalls sind wir jetzt wieder da, mir tun alle Knochen weh und morgen Abend treffen wir uns alle mit Herrn Lehmann, Frau Lehmann und ... Hendrik Lehmann.

... ich freu mich so!

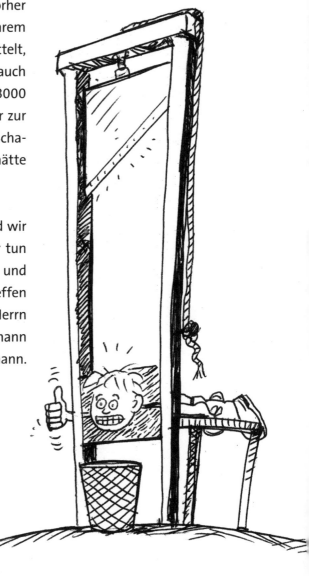

Heute lagen wir besinnungslos auf der Terrasse rum, weil wir alle einen tierischen Muskelkater vom Wandern hatten. Außer Mama! Die ist fit wie ein Turnschuh und ist heute Morgen gleich als Erstes in den See gehüpft und hat da ihre 50 Bahnen gezogen.

Nicht, dass du denkst, dass meine Mutter nichts Besseres zu tun hätte. Sie treibt eben gerne Sport.

Treibst du gerne Sport? Handball? Skaten? Fußball? Ja?

Ich, ja! Fußball! Also eigentlich spiele ich gerne Fußball! Aber jetzt nicht mehr! Seitdem ich im Verein spiele, habe ich irgendwie keinen Bock mehr drauf!

Dabei sind die meisten Jungs echt in Ordnung und Gerrit, Cemal und Sebastian spielen ja auch mit. Aber ausgerechnet Gerrit geht mir da am meisten auf die Nerven.

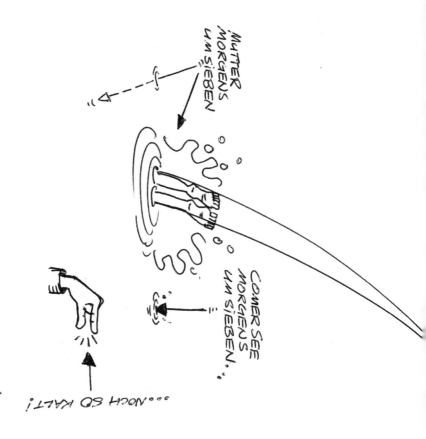

Tut immer so, als wäre er der weltbeste Fußballspieler aller Zeiten, und brüllt immer rum, dass man den Ball da rüberspielen soll, dort rüberspielen soll ... aber meistens: Zu **IHM** rüberspielen soll! Auch wenn's gerade mal so gar nicht passt.

Aber wer noch lauter brüllt als Gerrit und mir am **ALLER-MEISTEN** auf die Nerven geht, das ist sein Daddy!

»GUT, GERRY! SCHÖN, GERRY! PASS AUF, GERRY!«
»JA, DADDY! KLAR, DADDY! MACH ICH, DADDY!«

Gerry! *Daddy*! Wenn ich das schon höre ... das ist schlimm, ist das! Wirklich schlimm!

Also: Der Vater von Gerrit steht beim Training immer doof am Spielfeldrand rum und brüllt. Zusammen mit den Vätern von den anderen Jungs, die auch rumbrüllen. Aber eben nicht ganz so laut wie Herr Koopmann, also der Daddy von Gerry.

Mein Vater brüllt gar nicht rum. Weil er nämlich nie mitkommt zum Training. Was absolut okay ist.

Weil, was soll er da auch rumstehen und rumbrüllen?! Hat ja eh keine Ahnung von Fußball. Die anderen Väter aber! Und das mehr als Frank, unser Trainer. Meinen sie jedenfalls. Besonders Herr Koopmann. Wenn das Training vorbei ist und wir mit den durchgeschwitzten Klamotten schnell zurück in die warme Umkleide wollen, schnappt Herr Koopmann sich immer seinen Gerry und gibt ihm immer supertolle Tipps, was er beim nächsten Mal **NOCH** besser machen kann.

Da muss man immer verdammt clever sein und so tun, als ob man Herrn Koopmann gerade mal nicht gesehen hat, weil man sonst nämlich auch stehen bleiben muss und dann in den nassen Klamotten erfriert!

Denn Herr Koopmann quatscht meistens nicht nur seinen Sohn mit seinen Superkommentaren zu, sondern auch alle anderen, die nicht schnell genug in die Umkleide gekommen sind. Auch Frank, also den Trainer.

Und das nervt! Auch den Trainer, also Frank. Das merkt man. Neulich hat er jedenfalls voll die Augen verdreht und irgend so was wie *Vack!* gemurmelt, als er Daddy Koopmann entdeckte, der uns mal wieder den Weg zur Kabine abschnitt.

Aber das hat der natürlich nicht mitbekommen und vor versammelter Mannschaft zu ihm gesagt: »Pass auf, *Franky*! Du musst die *Kids* mehr nach vorne bringen! Also *Timmy*, *Lenny*, *Maxi* und *Gerry* natürlich. Das sind die Kracher in der Truppe! Das weißt du selbst! Und mach mit den Luschen hinten zu! Hier, den dicken *Basti*! Stell den hinten rein! Neben *Janny*! Der bringt auch nicht so viel Leistung!«

Und was antwortet Frank darauf? Er antwortet: »Danke für den Tipp, Horst! Aber wir sind ja hier nicht in der Bundesliga, *hahaha*! Und Sebastian macht seine Sache wirklich gut. ...und **JAN** natürlich auch.«

Okay, das war Franks Glück, dass er das mit mir noch nachgeschoben hat. Sonst hätte ich nämlich sofort mein Trikot ausgezogen und es ihm ins Gesicht geklatscht und wäre gegangen.

Aber eigentlich darf man das dem *Horsti* gar nicht durchgehen lassen, wenn er so einen Müll redet, oder? Ich meine, was soll das heißen – Der bringt auch nicht so viel Leistung?

Bin ich ein Auto oder was? Nein, bin ich nicht! Ich spiel einfach nur gern Fußball. Und Sebastian auch! Auch wenn der gerade mal ein bisschen dicker ist als ... was weiß ich denn, wer! Ist doch auch komplett egal, oder? Fußballspielen kann echt Spaß machen. Aber nicht, wenn Väter wie der von Gerrit dabei sind und dann auch noch anfangen, Punkte zu verteilen. Das nervt!

Horst, du redest Müll und das nervt! Komm bitte nicht mehr zum Training!

DAS hätte Frank antworten müssen! Hat er aber nicht! Und das ist traurig, dass er's nicht getan hat! Ich finde Frank nämlich eigentlich echt nett,

... aber auch ein bisschen feige!

... und ganz ehrlich? Ich mich auch ein bisschen! Jetzt nicht wegen *Horsti*, dem *Daddy* von *Gerry*! Nein, ich rede von was ganz anderem! Ich rede von diesem bescheuerten Abend!

47

Wir waren ja mit den Lehmanns verabredet. Schon vergessen? War aber so! Wir waren bei denen. Weil die haben sich nämlich gleich ein komplettes Ferienhaus angemietet. Mit einer Riesenterrasse. Direkt am See. Wahnsinn! Die müssen Geld haben wie Heu!

Also, was soll ich sagen ... es war ... irgendwie ganz nett ...

... eigentlich total nett! Also das Haus, die Riesenterrasse und das alles. Und die Eltern von Hendrik auch! Außer Hendrik selbst natürlich. Der ist nicht nett! Der ist und bleibt ein Idiot!

Jedenfalls, der Abend war nett und es gab Pizza und dann haben wir alle zusammen noch ziemlich lange auf dieser Riesenterrasse rumgesessen und dabei zugesehen, wie Hannah mit ihrem albernen Pink-Bikini ins Wasser geklettert ist. Das hatte Mama ihr erlaubt.

»Aber schwimm nicht so weit raus, Schatz!«, hat Papa ihr hinterhergebrüllt.

»Schwimm, so weit du kannst!«, habe ich hinterhergebrüllt.

»Arschloch!«, hat Hannah zurückgebrüllt.

Mama und Papa haben das natürlich mal wieder überhört und weiter mit den Lehmanns gequatscht. Über Hendrik und mich, über die Schule, die Lehrer und wie **TOLL** die Lehrer doch da alle sind und ganz besonders der Herr Krüger – dass wir den als Klassenlehrer gekriegt hätten, das wäre ja ein echter Glücksfall –, und dann musste ich meinen Senf auch noch dazugeben, weil Frau Lehmann mich fragte, wie ich denn den Herrn Krüger so finde, und ich sag: »Geht so!«

Und bevor da Frau Lehmann noch mal nachhaken kann, grätscht meine Mutter dazwischen und fragt Hendrik, wie er denn mit dem Herrn Krüger so klarkommt, und der quäkt: »Hervorragend! Herr Krüger ist wirklich ein ganz toller Lehrer!«

»Nicht wahr, Hendrik? Ein ausgezeichneter Mann, der Herr Krüger!«, setzt Herr Lehmann noch einen drauf, und dann kriegt er auf einmal ganz feuchte Augen und verkündet stolz:

»Herr Krüger hat unsern Hendrik für ein Hochbegabten-Internat empfohlen. – Unser kleines Genie!«

Da hätte ich ja echt die komplette Pizza wieder auf den Teller kotzen können. ... *Unser kleines Genie!* ...pff! Aber dann dämmerte mir irgendwas da oben in meinem Mangel-Oberstübchen und ich frage: »Echt, Hendrik? Du wechselst die Schule?«

»Ja, Jan. Ich geh aufs Internat. Das in Thüringen«, antwortet er und witzelt noch hinterher: »Nach den Sommerferien seid ihr mich los!«

»**JA GAIHIIIIEL!** – Äh ... ich meine: Geil für dich! – Ist doch super: Hochbegabten-Internat! Genau dein Ding, Lehm... Hendrik!«

»**TOLL**, Hendrik! – Auf dich, Hendrik!«, freuen sich auch meine Eltern für den Wunderknaben, und dann stoßen alle auf ihn an, und ich auch, aber ich insgeheim nur auf mich selbst, weil ich mich für mich selber am allermeisten freue, dass der Vollidiot nach den Sommerferien weg ist.

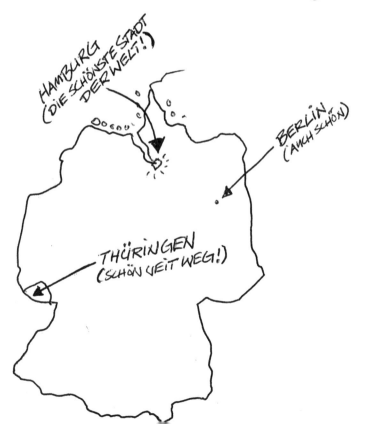

Und dann musste ich die komplette Ladung Cola wieder ausprusten – diesmal über den halben Tisch und nicht in Hendriks Gesicht –, weil Frau Lehmann nämlich das Thema wechselte und mich plötzlich fragt: »Und Jan, du Verbrecher? Wie fandest du denn die Klassenfahrt? Der Hendrik hat schon erzählt, dass ihr da ja einen ganz schönen Blödsinn veranstaltet habt.«

PRUUUUUUUUUUUUUUUUUUUUUUUUUST!

»Ach Jan! Muss das denn immer sein?!«, jammert Papa, tupft mit einem Tempo in der Colapfütze auf dem Tisch rum und sagt zu den Lehmanns: »Das ist mir sehr unangenehm!«

»Ach, lass doch, Thomas. Ist doch eh nur Papier«, tröstet Frau Lehmann Papa, und dann bohrt sie bei mir noch mal nach: »Nun, Jan? Was hast du zu deiner Verteidigung zu sagen?«

Da lachen dann alle ganz herzlich und ich sage: »... ... ...«, weil ich absolut nicht weiß, was ich sagen soll.

Tausend Fragen schossen mir durch den Kopf: Was meint sie mit *ganz schönen Blödsinn*? Hatte Hendrik gepetzt? Wussten die Lehmanns Bescheid? ... *Blödsinn* – Was meint sie damit? Was will sie hören, die Frau Lehmann? Soll ich jetzt sagen, dass Gerrit, Cemal, Sebastian und ich echte Scheiße gebaut haben und ihr geniales Söhnchen da mit reingerissen haben? Will sie das hören? Will sie hören, dass wir den tollen

Herrn Krüger erpresst haben, damit der seine Klappe hält?
Was soll ich sagen?

... Game over! Wo ist der verdammte Button?

»... ... ...?«

»Zahnpasta!«, sagt Frau Lehmann und grinst mich dabei
so lehrermäßig an, als müsste ich ein Gedicht aufsagen, das
mit *Zahnpasta* anfängt, von dem ich aber nicht weiß, wie's
weitergeht, weil ich verpennt habe, es auswendig zu lernen.

»... ... ... Zahnpasta ... ... Die Zahnpasta: ... ...? ...
...?!?!?«, wiederhole ich blöde, und dann springt plötzlich Hendrik ein: »Türklinke, Jan! Zahnpasta und Türklinke!«

»... ... ...?«

Wollen die mich hier alle verarschen, die Lehmanns? *Türklinke, Zahnpasta* ... was soll der Scheiß?

»... ... ...?«

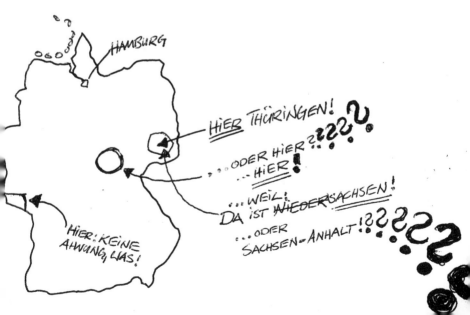

»Jan? Alles in Ordnung mit dir? Du bist ganz blass!«, unterbricht Mama endlich dieses bescheuerte Folter-Verhör und meint zu Frau Lehmann: »Ich glaube, Brigitte, die Geschichte mit dem Waldbrand steckt dem Jan immer noch sehr in den Knochen!«

»Welcher Waldbrand?«, fragen Herr und Frau Lehmann gleichzeitig.

Und da machte es endlich **Klick** bei mir! – Die Lehmanns waren komplett fehl-informiert! *Zahnpasta – Türklinke – Mädchenzimmer! ... ganz schöner Blödsinn!* **Ja klar!** – Hendrik hatte seinen Eltern alles Mögliche erzählt, aber nicht die Wahrheit! Hendrik-Vollpetze-Lehmann hatte ganz erstaunlicherweise dichtgehalten! So dicht, dass seine Eltern nicht einmal wussten, dass der komplette Harz gebrannt hat. Pffuuhh!

Und dann sagt er auch noch mal total gelassen: »Ach so, das! Das war doch nicht der Rede wert! Nur ein Feuer!«

Und Papa darauf: »Na ja, Hendrik. Immerhin ein ziemlich großes. Und das direkt vor der Jugendherberge. – Oder, Jan?«

»... ... ...«

»Ach was!«, spricht Hendrik für mich. »Da hat der Jan ganz gewiss etwas übertrieben. Es war nur ein kleiner, nächtlicher Brand, den die örtliche Feuerwehr recht schnell unter Kontrolle hatte. Wir selbst schliefen ja zur besagten Zeit und haben davon nicht einmal etwas mitbekommen!«

Und damit war die Sache komplett vom Tisch. Es wurden noch ein paar Witzchen gemacht, dass der Jan ja auch immer so übertreiben muss und der Jan bestimmt gern einmal Feuerwehrmann werden will, weil der Jan ja auch noch sehr gern mit seinen Feuerwehrautos spielt ...

»... anstatt für die Schule zu lernen!«, musste meine liebe Mutter da noch einmal kurz nachtreten!

Aber die Sache war vom Tisch. Dank Hendrik. Das war ziemlich cool von ihm. Muss ich sagen. Hätte ich jedenfalls nicht fertiggebracht. Also den Eltern erst gar nichts von dem Brand zu erzählen, und dann aber gezwungenermaßen doch, und dann auch noch so eine Geschichte, die komplett gelogen ist. Ist sie nämlich! Hendrik weiß das! Ich weiß das!

Und ganz ehrlich? Ich persönlich wäre schon nach dem dritten Wort heulend zusammengebrochen und hätte losgebrüllt: **JA! JA! JA! ES WAR EIN GROSSBRAND! UND ICH HABE IHN GELEGT! ICH BIN SCHULD! STECKT MICH INS HEIM! BITTE!**

Weißt du, und deswegen finde ich mich ein kleines bisschen feige. Weil ich nämlich nicht mal irgendwas gesagt habe! Hendrik aber! Und das war cool!

... und ärgerlich aber auch ein bisschen! Weil ich hab mich gefühlt wie ein Tanzbär! Wie einer, der ausgerechnet von dem größten Vollidioten aller messbaren Zeiten vorgeführt wird. ... wie ein Tanzbär, der gar nix kann! Nicht mal tanzen ... und sprechen sowieso nicht! ... brumm, brumm!

Der **IDIOT!**

... und mit Feuerwehrautos spiel ich auch nicht mehr! Schon seit 100 Jahren nicht mehr! Dass das mal klar ist!

Aber wie gesagt: Insgesamt gesehen – ein wirklich netter Abend!

Und irgendwann wurde Hannah dann auch wieder aus dem See gefischt – also lebendig! – und wir sind zurück zu unserer mickrigen Pension.

TAG 5

Heute waren wir in der Stadt. Also unten in der Innenstadt von Como. Unsere Pension liegt ja etwas außerhalb oder oberhalb von Como. Echte Gurkerei jedenfalls! Und dann auch noch mit diesem VW-Kombi. Ein hässlicher, knallroter Golf Variant von 1998. Aus dem vorigen Jahrhundert, stell dir das vor! Aber Papa schwört drauf. Er sagt: »Es ist ein Auto und es läuft!«

Na super, oder?! Ich meine, wie sähe es auf den Straßen aus, wenn alle Leute so drauf wären wie Papa. Wie Mama drauf ist, davon red ich erst gar nicht. Ihr ist es, glaube ich, sogar komplett egal, ob ein Auto läuft oder nicht. Sie läuft lieber selber. Jeden Tag! 100 Kilometer! Mindestens! Aber das ist jetzt gar nicht das Thema.

Das Thema ist ganz klar die Innenstadt von Como ...

... und der VW Golf Variant 1.9 Diesel mit galaktischen 64 PS von 1998! Nur mal so für den Fall, dass dir auch vollkommen egal ist, ob ein Auto läuft oder nicht, also für den Fall, dass du so gar keine Ahnung von Autos hast: **VIERUNDSECHZIG PS IST NICHTS!**

Mal zum Vergleich: Der Vater von Gerrit, also der Herr Koopmann, der fährt auch einen VW. Aber einen neuen! Einen VW Touareg 3.6 V6! Und jetzt rate, wie viel PS der hat. Ich sag dir, wie viel PS der hat: **280!**

DER DIREKTE VERGLEICH:

HERR KOOFMANN
AUCH ECHT PEINLICH
(... ABER DA KANN DER
WAGEN NIX FÜR !)

VW TOUAREG 3,6 V6
2012!

PAPA
(SAUPEINLICH)

VW GOLF VARIANT 1,9 DIESEL
1998

PLÖPP

ZWEI-HUNDERT-ACHTZIG PS! Das kann einem doch nicht egal sein. Meinem Vater aber. Das ist traurig, ist das!

Stell dir mal vor, wenn die komplette Menschheit so drauf wäre wie mein Vater: Die spaziert fröhlich in ein Autohaus und brüllt:

»GUTEN TAG, LIEBER AUTO-VERKÄUFER! EIN AUTO BITTE, DAS LÄUFT!«

»Aber bitte gern, liebe Menschheit! Hier sind die Schlüssel!« Und dann – ... orgel-orgel-orgel: 70 Milliarden Menschen eiern jeweils mit einem hässlichen, knallroten VW Golf Variant 1.9 Diesel von 1998 vom Parkplatz.

»Auf Wiedersehen, liebe Menschheit!

... und VIEL SPASS DAMIT!!!«

Wie sieht denn das aus? Ich meine, stell dir das doch mal vor! Du kannst doch gar nicht mehr sehen, ob da jemand mächtig viel Kohle hat und deswegen ganz logisch hinter dem Lenkrad eines hammermäßigen Touareg sitzt, wie der Herr Koopmann! Du weißt nicht mal, ob das vielleicht doch nur so eine ganz normale arme Wurst ist, die in der Schule nicht aufgepasst hat und es deswegen natürlich auch zu nichts gebracht hat und sich deshalb auch nur so einen alten VW-Kombi leisten kann!

(Nur damit das mal ganz klar ist: **Mein! Vater! Ist! Keine! Arme! Wurst!**)

ICH! IN 20 JAHREN! ...VIELLEICHT!!!

LOSER!

LOSER!

LOSER!

LOSER!

NO NAME

NN

LH-0

ABWÄRTS

NULL! LOSERHAUSEN

... je länger ich darüber nachdenke, eigentlich gar keine schlechte Idee, oder?! Dann gibt's auch keinen Stress mehr von wegen: Wer hat den schnellsten, den größten, den teuersten Wagen? Wer hat's drauf? Wer ist der Loser?

Also mein Vater ist jetzt wirklich kein Loser! Er ist eigentlich auch ganz fit im Kopf und hat sogar einen Job, der ihm Spaß macht. Nur reich kann man damit nicht werden. Aber das interessiert ihn irgendwie auch nicht. Ich meine, Geld interessiert ihn irgendwie nicht. Der macht seinen Job, und den macht er gerne! Und fertig!

Papa arbeitet in einem Jobcenter. Als Arbeitsvermittler. Also so einer, zu dem du gehst, wenn du einen Job brauchst, aber keinen findest.

Weil du vielleicht gerade mal Astronaut bist oder so was, und als Astronaut aber verdammt schlechte Karten hast. Weil alle Plätze sämtlicher Weltraumraketen des kompletten Universums längst besetzt sind. Von solchen Typen wie Torsten, Carsten, Sören ... und Hendrik Lehmann vielleicht auch.

Weil die einfach mehr auf dem Kasten haben als du. Weil sie nämlich im Gegensatz zu dir auch in ihrer Freizeit immer schon gelernt haben. Weil sie ihre wertvolle Zeit damit verplempern, Apfelkuchen in 13 485 Teile zu zerlegen, und auf Anhieb wissen, wie viele Teile sie ihrer Sabine in die Hand drücken müssen, wenn es denn 1/8 sein soll.

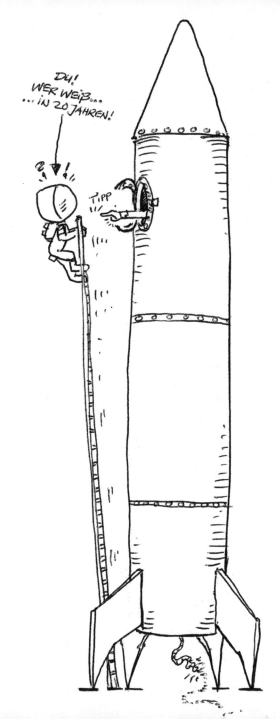

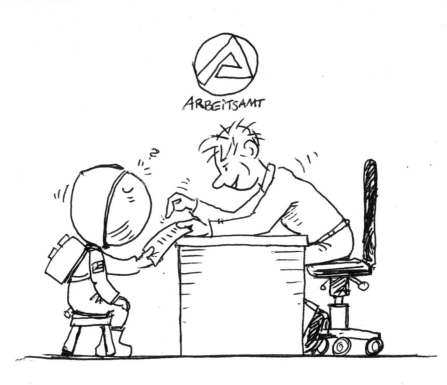

Na ja, jedenfalls gehst du zu meinem Vater und der besorgt dir dann einen ähnlichen Job. In einer Molkerei oder so was.

Haken an der Sache könnte sein, dass du als Profi-Astronaut vielleicht gerade mal keinen Bock drauf hast, in einer Molkerei zu arbeiten. Aber denk dir: Den freien Blick auf die Milchstraße kannst du eh vergessen, weil in der Rakete ja schon das komplette Hirni-Quartett sitzt und für dich einfach kein Platz da mehr ist. Und in so einer Molkerei gibt es auch Milchstraßen ohne Ende.

Okay! Nicht ganz so wie im Weltraum, aber immerhin – Milchtüten am Fließband! Ist doch toll, oder?

Was willst du eigentlich mal werden? Wirklich Astronaut? Da sag ich dir gleich: Schmink dir das ab und geh zu meinem Vater!

Was ich werden will, weiß ich noch nicht. Vielleicht Testfahrer oder so was. Du weißt schon: Neuwagen testen und mit 300 Sachen über die Autobahn brettern. Ja, das wär nicht übel. Nur weiß ich nicht, ob meine **Lern-Kom-Pe-Tenz** da eine Rolle spielt, weil die ja anscheinend **MANGELND** ist. Und da könnte es sein, dass die Autohersteller mich allerhöchstens noch als Crashtest-Dummy hinters Lenkrad setzen und mich mit 300 Sachen gegen eine Betonwand brettern lassen. Nur um zu gucken, ob der Gurt was taugt.

Jedenfalls waren wir heute in der Innenstadt von Como und du glaubst ja nicht, wer uns da über den Weg gelatscht ist. Genau! Die komplette Lehmann-Familie!

›... wo ist der Button?!‹

Die Lehmanns strahlten vor Glück, weil sie gerade einen Haufen Geld ausgegeben haben. Beim Shoppen!

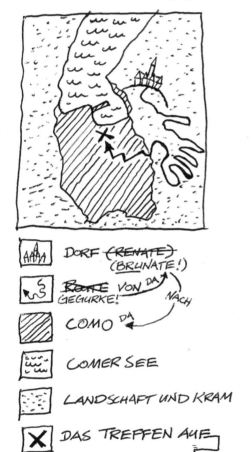

DORF ~~(RENATE)~~
(BRUNATE!)

~~ROUTE~~ VON DA
GEGURKE! NACH

COMO DA

COMER SEE

LANDSCHAFT UND KRAM

☒ DAS TREFFEN AUF

Frau Lehmann zu Mama: »Hier schau mal, Petra! Das Kleid!«

Mama zu Frau Lehmann: »Ach, das ist ja ganz entzückend, Brigitte!«

Papa zu Herrn Lehmann: »Hey Peter! Starkes Klappmesser! Teuer?«

Herr Lehmann zu Papa: »Ach was, Thomas. War im Angebot!«

Hendrik Lehmann zu mir: »Guck mal, Jan! Mein neues iPad!«

Ich zu Hendrik Lehmann: »... ... ...«

EIN IPAD! HENDRIK LEHMANN HAT EIN EIGENES IPAD!!!

»Jan, hast du auch ein i-...«

66

»**Nein!**«

»Hier, schau mal, Jan! Es hat ganz tolle Apps! Spannende Pro...«

»**Toll!**«

»...gramme, mit denen man auf spielerische Weise lernen kann!«

»... ... ...«

Da fiel mir nun wirklich nix mehr zu ein. Hendrik Lehmann bekommt – mir nichts, dir nichts – von seinen Eltern dieses göttliche Wunderwerk der Technik geschenkt und wozu benutzt er es? Zum Lernen! Das ist krank, ist das!

»Willst du es mal halten, J...«

»**Nein!** Interessiert mich nicht! **Schüss!**«

Das war ein bisschen doof von mir, weil man in der Regel dann geht, wenn man sich verabschiedet. Aber ich konnte gar nicht gehen, weil Mama und Papa es ja auch nicht taten und auch noch keiner Hannah die MP3-Stöpsel aus den Ohren gezogen hatte, um ihr mitzuteilen, dass es nun weitergeht.

Hendrik Lehmann hat mich irgendwie komisch angesehen und sein dämliches iPad vorsichtig wieder zurück in den Karton geschoben und nichts mehr gesagt.

Wenigstens das!

Irgendwann hat dann doch endlich jemand bei Hannah die Stöpsel rausgezogen, um ihr mitzuteilen, dass es jetzt weitergeht.

Endlich! Weiter! Nur weg von Hendrik Lehmann! Weg von dem Gedanken, dass man ein iPad auch zum Lernen missbrauchen kann!

... und weg von dem Gedanken an diesen verdammten Game-over-Button, den es nicht gibt! Weg von der Katastrophe, die es gab!

Und gerade, als ich dachte, dass wir nun weit genug weg sind und sich mein Kopf schon wieder herrlich leer anfühlt, da riefen die Lehmanns uns hinterher: »Hey Petra! Hey Thomas! Habt ihr nicht Lust, morgen mit auf eine Hafenrundfahrt zu kommen? Das wird bestimmt toll!«

»Oh! Was meinst du, Petra?«

»Na klar, Thomas! Warum denn nicht?!«

»Auf keinen Fall, Mama!«

Das war nicht ich. Das war Hannah. Erstaunlicherweise. Niemand denkt, dass sie hören und sprechen kann.

Und ich schieb schnell hinterher: »Ganz genau, Mama! Ich wollte morgen auch mit Jasper und Dschingdeskhan Frisbee spielen und ...«

»Ja gerne! Wir kommen mit!«, ruft Mama zu den Lehmanns rüber.

TAG 6

Heute sind wir bei 100 Grad im Schatten mit einem hässlichen, alten VW-Kombi, der keine Klimaanlage hat, zum Comer Hafen runtergefahren, um mit Herrn Lehmann, Frau Lehmann und Arschloch Lehmann eine Hafenrundfahrt zu machen.

Das Erste, wonach ich natürlich geschielt habe, als wir auf dem Deck waren, war, wo er sein iPad hat.

»Wo ist dein iPad?«

»Zu Hause gelassen.«

»Warum?«

»Weil ich auf der Rückfahrt später noch mein Buch zu Ende lesen möchte.«

Und dann kramt er aus einem Beutel sein Buch raus und hält es mir vor die Nase.

Jim Knopf und die wilde 13

»Kennst du es?«

»Was?«

»Ob du es kennst!«

»Na klar kenne ich es! Gibt's auch als Zeichentrick! Finde ich doof! Wo ist dein iPad?«

»Hab ich dir doch gesagt: Zu Hau...«

»Ja, schon klar! Aber warum liegt es da? Und warum liest du? Und dann auch noch so einen Kinderkram!«

»Weil es mir gefällt? Weil es lustig ist?«

»Es ist für Kinder!«

»Ich bin ein Kind!«

»Du bist zehn!«

»Deswegen kann ich Kinderbücher lesen und du noch mit Autos spielen.«

»Tu ich gar nicht!«

SEHR SPEZIELL: ALTER RADDAMPFER

Und dann hab ich ihn links liegen gelassen, weil ich ja so was von keine Lust mehr hatte, mit Hendrik zu reden, und bin rauf zu Hannah aufs Sonnendeck.

Nur um zu gucken, ob sie schon einen ordentlichen Sonnenbrand hat, weil sie nämlich bei jeder Gelegenheit doof wie eine Grillwurst in der Sonne rumbrutzelt, damit sie ganz braun wird und zu Hause vor ihren Freundinnen damit angeben kann.

War aber nicht! Also kein Sonnenbrand! Und deswegen blieb meine Stimmung auch im Keller.

Hendrik Lehmann ist so ein Idiot. Er hat ein iPad und benutzt es nicht. Er lässt es zu Hause, weil er jetzt lieber lesen will. Und dann auch noch Jim Knopf. Und das gibt er auch noch zu. Würd' mir nicht passieren! Ich meine, ich spiele selbstverständlich nicht mehr mit Autos, weil es peinlich ist, mit zwölf noch mit Autos zu spielen, aber für den unwahrscheinlichen Fall, dass ich es doch noch tun würde, würde ich es niemals zugeben! Weil ...

... weil es ja so was von voll peinlich ist, wenn man beispielsweise gerade in seinem Zimmer rumsitzt und nur so aus purer Langeweile die alte Spielzeugkiste wiederentdeckt hat und da sein Lieblingsauto rauskramt, um damit mit 300 Sachen über den Straßenteppich zu donnern, und dabei echt starke Motorengeräusche nachmacht und den Wagen dann in Zeitlupe über eine Leitplanke aus Bleistiften schleudern lässt ...

... so was von voll-hammer-super-mega-peinlich, wenn einem dann nämlich das Lieblingsauto vor Schreck aus der Hand fällt, weil da, wo vorher noch der Straßenteppich-See war, plötzlich die Turnschuhe der großen Schwester stehen. Mit Schwester drin! Und die macht einen dann komplett fertig: »Oh, wie süß! Jan spielt mit Autos! ***Hönn höööönnn!*** **Mama! Papa! Jan spielt mit Autos!** ... tutzi, tutzi!«

Das geht ja gar nicht!

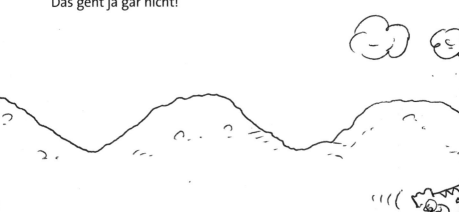

... außerdem war das ja auch nur ein Beispiel und ist so natürlich nie passiert! Dass das mal klar ist!

Unklar ist aber, warum dem Hendrik irgendwie nie was peinlich ist. Scheint jedenfalls so zu sein. Das ist mir schon auf der Klassenfahrt aufgefallen.

Da hat er beispielsweise in dem Zimmer, auf dem wir waren, sein Bett zurechtgezuppelt und als er damit fertig war – und jetzt halt dich fest – seinen **TEDDY** ordentlich draufgesetzt. Vor versammelter Mannschaft! Also vor Gerrit, Cemal, Sebastian und mir.

Riesenbrüller! Alle haben sich weggeschmissen vor Lachen.

Nur Hendrik nicht. Der blieb ganz ernst und sagt: »Das ist Gustav! Wo sind eure Stofftiere?«

Und Cemal dann: **»ÄY ALDER! WARTE!«**, und schiebt die Unterhosen und Socken auf seinem Bett beiseite, zückt sein Handy aus der Tasche und legt es übertrieben vorsichtig darauf.

»Das ist Memmet! Kuckstdu hier!«

Riesenbrüller!

Nur Hendrik fragt: »Du nennst dein Handy Memmet?«

»Is' kein Handy! Üst türrrküsch Töddy! Hat mein Mamma mir gelegt schon in Wiege, verstesstu?!«

»Im Ernst?«

Und Cemal dann einigermaßen ernst zurück: »Gott, Lehmann! Wie bescheuert bist du eigentlich? Natürlich **NICHT**! Es ist nur ein Handy und heißt Nokia N8!«

»Oh! Verstehe! Ein Witz! Kicher, kicher ...«

»... ja, Hendrik! Ein Witz!«, antwortete Cemal müde.

Weißt du, Hendrik Lehmann kriegt solche Sachen einfach nicht mit. Da ist irgendwie eine seiner hundert Trilliarden Gehirnzellen nicht so ganz auf dem Laufenden, wenn du verstehst, was ich meine!

Und in einer anderen Ecke seines Superhirns muss sich wohl irgendwann gleich ein ganzer Stamm von Gehirnzellen verabschiedet haben. Und zwar die, die eigentlich dafür zuständig sind, im falschen Moment keine dämlichen Fragen zu stellen.

Am letzten Tag der Klassenfahrt! Abends! So gegen neun! Kurz bevor Herr Krüger und Frau Pietsch (Mathelehrerin!) die Klasse – also uns – zu einer Nachtwanderung auf den Weg geschickt haben. Das war so ein Moment!

Krüger erklärte gerade die Spielregeln. Denn es sollte natürlich nicht irgendeine Nachtwanderung sein, bei der man unbeaufsichtigt einfach nur mal Spaß haben könnte! Nein! Natürlich nicht ...

»Also passt jetzt auf, Leute! – **DU AUCH, CEMAL!** Steck dein Handy weg und hör zu!«

»Tutt mir voll leid, Schäff! Isch binn jätzaber voll Ohr!«

Cemal kann Herrn Krüger mit dieser Döner-Deutsch-Nummer echt ziemlich gut auf die Palme bringen.

»*Ganz* Ohr, Cemal! Nicht *voll*! – Also: Wir haben für euch eine spannende Schatzsuche vorbereitet. Mit versteckten Aufgabenzetteln mit dem Stoff aus dem letzten Halbjahr!«

»Äy-Stoff-Äy! Voll-krass-stabil-Äy! Und wie soll isch checken, wo Schatts lieckt?«

»Cemal, **bitte!** Das erkläre ich ja jetzt!«

»Geht klar, Schäff! Isch bin ganz voll Ohr!«

»…?! – Die Hinweise auf den Schatz findet ihr etappenweise! Jede Etappe – eine Frage – eine Antwort – ein Hinweis! Und die M…«

»Gecheckt!«

»… **Und** die Mannschaft, die den Schatz als Erste findet, hat gewonnen! Und: Ihr könnt euch freuen: Dem Gewinner-Team winkt ein toller Preis!«

»ÄY-PRRREIS-ÄY! WINKI-WINKI! VOLL-KRASS-KORRREKT-ÄY! GAILLES HANDY ODER WAS?!«

»Selbst-ver-ständ-lich **NICHT**, Cemal! – Ja, Hendrik? Du hast eine Frage?«

Und dann war er da, der falsche Moment!

»Ja, Herr Krüger! Ich habe eine! Dürfen denn auch Handys mit auf den Weg genommen werden? Ich meine, würde es uns allen denn nicht die Freude am Spiel nehmen, wenn wir davon ausgehen müssen, dass die gegnerischen Mannschaften die bestimmt recht kniffligen Fragen einfach googeln werden?«

Und dann hättest du eine Stecknadel hören können, wenn denn jemand auf die Idee gekommen wäre, eine fallen zu lassen.

Kam aber keiner! 31 Schüler starrten auf Hendrik Lehmann und hatten jeweils nur ein und denselben Gedanken:

WARUM – IST – DER – SO?

Kann gut sein, dass unsere Lehrer sogar dasselbe dachten. Nur wenn, dann hat man es ihnen nicht angemerkt. Frau Pietsch sagte dann jedenfalls: »Seeeehr schön, Hendrik! Da hast du natürlich vollkommen recht! – Leute: Holt bitte eure Handys raus und legt sie vorn am Eingang auf den großen Tisch!«

31 Schüler versuchten nun, allein durch Blicke Hendrik Lehmann zur Explosion zu bringen, machten aber brav, was Frau Pietsch ihnen gesagt hatte.

Und dann ging's los. Die Zimmer wurden in Teams eingeteilt und mit dem ersten Aufgabenzettel in die Nacht geschickt.

»Könntet ihr bitte mit euren Taschenlampen woanders hinleuchten? Das blendet mich ganz fürchterlich.«

Gerrit, Cemal, Sebastian und ich konnten aber nicht aufhören damit, weil wir so Hendrik Lehmann besser anstarren konnten.

»Seeeehr schön, **Hendrik**! Da hast du natürlich vollkommen recht, **Hendrik**! Wie hättest du es gern, **Hendrik**? Einfach woanders hinleuchten oder die Funzeln zurückbringen und auch auf den großen Tisch vorm Eingang legen, ... **Hendrik?**«

Das war Cemal, der das fragte, und Gerrit darauf: »**Ja! Genau!** Wer braucht schon Handys und Lampen?! Wir haben doch unsere Oberleuchte Lehmann! Die wandelnde Flachbirne mit Freude am Spiel!«

»Komm, Gerrit! Lass gut sein! Lies lieber vor, was auf dem Zettel steht!«, meinte Sebastian.

Gerrit leuchtete Sebastian an, dann sich selbst und tat so, als würde er sich mit der Taschenlampe eine Kugel in den Kopf jagen, las dann aber endlich die Frage vor: »In welchem Jahr wurde der Dreißigjährige Krieg beendet?

Hinweis: Die Quersumme der Jahreszahl entspricht der Kilometerangabe eines Wegweisers auf dem Waldweg. Dort findet euer Team die nächste Aufgabe.«

»**HÄÄÄÄÄÄ?**« Das waren Cemal, Sebastian, ich und Gerrit selbst, die das sagten.

»Neunzehn!« Das war Hendrik Lehmann.

»**...? ...? ...? ...?**«

»Neunzehn! Der Dreißigjährige Krieg wurde 1648 für beendet erklärt. Und die Quersumme aus 1648 ist 1+6+4+8 = Neunzehn!«

Und Gerrit dann: »Ach ja, klar! Hätte ich auch gewusst! **ALSO LOS, MÄNNER! WEITER GEHT'S! SUCHEN WIR DAS VERDAMMTE SCHILD!**«, brüllte er und stapfte voran.

Ich sag dir was: Gerrit Koopmann hätte es **NICHT** gewusst! Nie im Leben hätte er das! Auch bei allen weiteren Etappenaufgaben hat er genauso doof aus der Wäsche geguckt wie wir alle.

Nur Oberleuchte Hendrik nicht! Wie eine wandelnde Suchmaschine im High-Speed-Modus beantwortete er auch jede noch so kniffelige Frage. Wahnsinn!

... schade, dass er so ein Idiot ist! Gerade versucht er meine Schwester Hannah aufzuheitern und liest ihr laut aus *Jim Knopf und die wilde 13* vor. Die Arme hat sich nämlich doch noch einen Sonnenbrand geholt und sitzt nun zum ersten Mal seit 43 Stunden im Schatten. Hier bei uns, im Unterdeck!

Sie sieht ein bisschen aus wie unser VW-Kombi. Knallrot! Und einen Sonnenstich hat sie auch. Deswegen guckt sie auch so scharfsinnig wie ein Zombie und versucht, die Geschichte zu kapieren, mit der Hendrik Lehmann ihr die Rückfahrt ein wenig verschönern will. Aber sie peilt natürlich gar nichts mehr!

Und ich auch nicht! Ich kann mich bei Hendriks Gequäke nämlich nicht mehr aufs Schreiben konzentrieren.

Idiot!

... aber lustig irgendwie! Also *Jim Knopf und die wilde 13*!
... ein bisschen jedenfalls!

TAG 7

Italien ist wunderschön! Es hat eine Landschaft und schöne Straßen! Und auf einer dieser Straßen wurde ein Auto vernichtet! Ein Golf Variant 1.9 Diesel von 1998! ... **UNSERER!**

YES!
DIE MÜHLE IST SCHROTT!

Papa war es! Er hat das Auto vernichtet! Zu Schrott gefahren! **YES! YES! YES!**

Auf dem Weg nach Mailand!

Mailand besteht praktisch nur aus Museen, und da wollte Mama unbedingt hin. Sie arbeitet nämlich selber in einem Museum, und da ist es ja dann auch superlogisch, dass sie unbedingt in ein Museum will, wenn sie mal Urlaub hat und zu Hause nicht ins Museum muss!

84

Frag mich was Leichteres, warum das logisch sein soll. Meine Lernkompetenz ist erstens mangelnd und hat zweitens Urlaub!

Ich weiß nur eins: Der VW Golf Variant mit 1.9 Liter Dieselmaschine von 1998 ist Schrott! **Yes!** Und Hannah ist schuld!

... und ich auch ein bisschen.

Wir eierten gerade auf der Landstraße hinter einem Traktor rum, den Papa mangels Motorleistung nicht überholen konnte, da brüllte Hannah plötzlich wie der angeschossene *King Kong* aus dem Film, weil sie nämlich eine schicke Ansammlung von amtlichen Sonnenbränden hat. Der auf ihren Schultern mit den Blasen drauf ist der schönste. Und den habe ich aus Versehen berührt ...

... okay, ich habe draufgeklopft! Aber nicht extra! Ich wollte Hannah einfach nur was zeigen. Einen mattschwarzen *Porsche Cayenne*, der mit gewaltigen 521 PS majestätisch an uns vorbeizog.

DER PORSCHE CAYENNE

→ **MATTSCHWARZ**

So einen habe ich auch. Also als Matchbox-Auto. Also in der Kiste natürlich, die ich schon lange nicht mehr auspacke, weil ich ja auch schon lange nicht mehr mit Matchbox-Autos spiele! Klar? Klar!

Egal!: Draufgeklopft – Hannah brüllt – Mama guckt nach hinten – Papa auch – Traktor hält – Papa nicht – Unfall!

Uns ist nix passiert! Aber dem Wagen! **SCHROTT! SCHROTT! SCHROTT! YESSS......S!**

Und morgen gibt's einen neuen! Also einen Leihwagen erst mal nur. Aber egal. Alles wird gut! Habe Papa gesagt, er soll einen Porsche Cayenne nehmen. Oder zur Not auch einen VW Touareg, wenn der Porsche gerade nicht da ist.

Italien ist wunderschön und das Leben kann es auch sein! Mailand wurde fürs Erste gestrichen und nun sitzen Papa und ich in Como vor einer Eisdiele und freuen uns, dass wir beide so clever sind.

Mama und meine rote Schwester sind nämlich shoppen gegangen.

DAS ENDE!

Wir aber nicht. Weil wir clever sind. Weil wir wissen, dass es die Hölle ist, mit Mama und der Rothaut stundenlang durch eine Wüste von stickigen Geschäften zu schlurfen, um nach dem perfekten Schuh oder der Bluse oder was weiß ich zu suchen.

Wir sitzen wunderschön vor der Eisdiele und vertreiben uns die Wartezeit. Ich mit diesem Notizbuch und Papa mit einem dieser sackschweren Worträtsel aus so einer Wochenzeitschrift.

Er nervt mich ein bisschen beim Schreiben, weil er die ganze Zeit vor sich hin murmelt, und dann hüpft er manchmal auf und ruft: »**JA!** Das ist es!«, und kurz darauf sackt er wieder in sich zusammen und murmelt: »... ach nee, doch nicht. Zu lang!«

Das hat er einfach nicht drauf. Wir sitzen hier bestimmt schon eine halbe Stunde und er hat erst ... – warte! – ... Ja, er hat erst zwei Wörter gefunden.

Hendrik Lehmann kann so was! Auf dieser Nachtwanderung mussten wir ja dieses beknackte Spiel spielen

und diese wirklich schweren Etappenrätsel lösen, um weiter-zukommen. Da war Hendrik Lehmann unser absoluter Joker.

Es war Wahnsinn! Etappe für Etappe lasen Gerrit, Cemal, Sebastian oder ich die Fragen vor, glotzten dann alle ganz automatisch Hendrik Lehmann an, der dann ganz automatisch die Lösung ausspuckte.

»Die Lösung lautet Holzbank! – ... und es wäre echt nett, wenn ihr mich nicht dauernd blenden würdet. Das ist nicht gut für die Augen!«

»Scheiss auf die Augen! – Los, weiter! Holzbank heisst das nächste Etappenziel! Wo steht das Teil?«, brüllte Gerrit und wetzte auch schon wieder los.

Wie die Frage auf die Antwort Holzbank lautete, kann ich dir nun wirklich nicht mehr sagen.

Wir lagen jedenfalls ziemlich gut im Rennen. Dank Hendrik! Hat sich zwar nie jemand bedankt bei dem Klugscheißer, aber egal. Wir lagen haushoch in Führung. Nur ein Mädchen-Team, das uns dicht auf den Fersen war, machte uns ein bisschen Sorgen. Das waren nämlich die Mädchen, die sich mit Hendrik Lehmann in der Schule sowieso schon immer ein Duell liefern. Dabei geht es immer darum, wer von denen im Unterricht seine Finger eine Millisekunde zuerst oben hat, um eine Frage des Lehrers beantworten zu dürfen.

Wobei du selbst aber immer stumpf daneben sitzt und denkst, das ist ein Film mit Überlänge!

KAMPF DER KLUGSCHEISSER GIGANTEN

EIN SPEKTAKULÄRES LERNFREAK-ABENTEUER IN 3-D ÜBER SECHS KOMPLETTE SCHULSTUNDEN! MIT ATEMBERAUBENDEN SPECIALEFFECTS UND BOM-BASTISCHEM DOLBY-SURROUND-SOUND!

Nur hier war es anders! Während in der Schule jeder gegen jeden kämpfte, hieß es hier:

Vier Klugscheißer-Mädchen gegen unseren einen! Denn wir anderen wussten praktisch nichts!

Und so kam, was kommen musste: Bei der allerletzten Etappenfrage machte Lehmann schlapp.

Das Mädchenteam hatte aufgeholt! Auch sie hatten ihren allerletzten Etappenzettel gefunden. Nur ein paar Meter von uns entfernt. Sie steckten die Köpfe zusammen und fingen an zu tuscheln und zu kichern.

»Denk nach, Lehmann! Die Weiber kichern! Die haben's gleich!«, hat Gerrit gesagt.

Keine Antwort.

»Lehmann, wir brauchen **jetzt** die Lösung!«, sag ich.

Keine Antwort.

»Hallo? Lehmann? Bist du noch da drin?«, sagt Cemal und klopft Hendrik auf den Kopf.

Keine Antwort.

Und dann hat man nur noch Getrippel und Gegacker gehört, weil die Mädchen die letzte Aufgabe gelöst hatten und nun wussten, wo der Schatz liegt.

»Scheisse, Lehmann! Die Weiber hau'n ab! Sag was!«, brüllt Sebastian.

Keine Antwort.

Wir hörten auf, Lehmann zu blenden, und hielten die Taschenlampen jetzt in die Richtung, in die die Mädchen verschwunden waren.

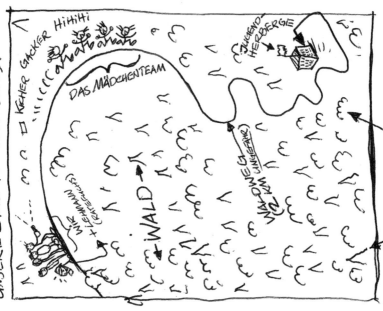

»Scheiße, die sind weg!«

»Jau, die Chics haben gewonnen!«

»Yep! Das war's!«

»Kacke!«

Das kam von Cemal, Sebastian, mir und Gerrit.

»Jugendherberge!«, kam von Hendrik.

»...? ...? ...? ...?«

Hendrik stand sofort wieder im vollen Scheinwerferlicht.

Jugendherberge! So lautet das Lösungswort! – Verflixt noch eins! Das war ganz schön verzwickt, weil man nämlich zunächst das Wort *Jugend* finden musste, um es dann ...«

»Jugendherberge!«, brüllt Gerrit. **»Ja klar! Der Schatz liegt in der Jugendherberge! – Los, Männer! Der Sieg ist unser!«**

»Vergiss es! Wir haben verloren! Die Mädchen sind viel eher da als wir!«, sag ich.

»Mädchen sind langsam!«

»Koopmann, lass es gut sein«, sagt Sebastian.

»Ich kann nicht!«

»Ein zweiter Platz ist auch recht schön!«, sagt Hendrik.

»Ein zweiter Platz ist nichts! Wir holen sie ein!«

»Äy Aldääääär! Binn isch Bienne Maya? Hab isch Flügel oder was?«, fragt Cemal.

»Quatsch nicht, Kebab! Wir nehmen die Abkürzung!«, brüllt Gerrit und hüpft ins Gebüsch. Ab vom Weg – rein in den Wald. – **»Los, Mädels! Wo bleibt ihr?«**

Und dann taten wir das, was wir niemals hätten tun dürfen: Wir rannten hinterher!

Außer Hendrik. Der blieb stehen.

»Lehmann! Was ist? Hau rein!«

Aber er blieb stehen und sagte: »Das ist nicht klug! Herr Krüger hat ausdrücklich darauf hingewiesen, nicht vom Weg abzukommen! Im Wald kann einem die Orientierung so manchen Streich spielen!«

»Da hat er vielleicht recht«, meinte Sebastian.

»Schwachsinn! Ich weiss, wo's langgeht! Los jetzt! Mir nach!«

Und weil Hendrik Lehmann kein Spielverderber sein wollte, ist er dann auch hinterhergedackelt. Den ersten Platz hätten wir nur als vollständiges Team machen können.

Dass wir am Ende nicht mal mehr den letzten Platz belegen konnten, ist eine komplett andere Geschichte!

... die ich dir aber jetzt garantiert nicht mehr erzähle, weil Papa gerade sein drittes Wort gefunden hat und dann doch wieder nicht! Und das nervt beim Schreiben!

Italien ist saudoof! Und mein Vater ist es auch!

Er ist so ein Depp! Ein Mega-Depp! Er ist der Titan aller Mega-Deppen!

Heute Morgen hatte er eine ganz einfache Aufgabe: Er sollte einfach nur zum Autoverleih gehen, dort einen Porsche Cayenne mit 521 PS abholen und **SOFORT** wieder zurück zur Pension kommen. Für den unwahrscheinlichen Fall, dass der Porsche Cayenne mit 521 PS gerade mal nicht da sein sollte, würde es zur Not auch der VW Touareg mit nur 280 PS tun. – Das war die Aufgabe. Lösbar, überschaubar, einfach.

Und womit kommt er zurück? Mit einem Opel-Kombi! Einem uralten, hässlichen Opel Astra Caravan in Kugelschreiber-Blau!

»Hallo Jan! Starker Flitzer, was?«, waren seine Worte, als ich ihn vor der Pension aus dieser Schrottkarre klettern sah.

»Was ist das?«, frage ich komplett baff, geschockt, entsetzt, fassungslos ...

»Es ist ein Auto!«, sagt Papa fröhlich.

»Ist es nicht! Es ist ein Opel Astra!«

»Also doch ein Auto!«

»Der Opel Astra ist kein Auto!«

»Ach Jan ... (Seufz).«

»WA-RUM?«

»*Wa-rum* was?«

»Warum hatten die vom Verleih keinen Porsche? Und keinen Touareg? – **WA-RUM?**«

Und dann sagt er mir – *angeblich* total überrascht –, dass davon nie die Rede gewesen sei. Nicht vom Autoverleih und schon gar nicht von diesen albernen Geländewagen.

Alberne Geländewagen! Pff...

»Jan, ich bin nicht Krösus! Ein Leihwagen ist viel zu teuer!«

»*Krö*-wer?«

»*Krö-sus*! Sagt man so! Irgendein König war das! Sehr reich! – Aber ist auch wurscht! Jetzt rate, wer mir den Wagen netterweise geliehen hat!«

»Donald Duck!«

»Quatsch! Die Eltern von deinem Freund Hendrik Lehmann! Wir können ihn uns so oft borgen, wie wir wollen. Sie brauchen den Wagen hier so gut wie gar nicht, sagen die Lehmanns. Nett, oder?«

»W... ... ...?«

...WIE-SO? – WES-HALB?? – WA-RUM??? – Ist das alles Zufall? Oder steckt hinter dem Ganzen ein ausgeklügelter Plan einer außerirdischen Macht? Bin ich für die vielleicht so eine Art Versuchskaninchen, weil die einfach mal gucken wollen, wie denn so ein zwölfjähriger Menschenjunge wohl reagiert, wenn man ihm die kompletten Ferien versaut?

... also gut, ich tippe mal immer noch auf Zufall! Aber was für einer!

Und ganz zufälligerweise, genau in diesem Augenblick, da ich schlimme Stunden meiner wertvollen Kindheit in diesem Opel-Zombie verbringe, macht mein Herr Vater sich zum **OBER**-Titan aller Mega-Deppen, weil er sich nämlich verfahren hat.

Wir sind auf dem Weg nach Mailand. Zu Mamas Museen! Jedenfalls wären wir es, wenn sich mein großartiger Vater gerade nicht verfahren hätte und uns nun in die Mongolei oder was weiß ich wohin kutschiert.

... ist gerade mal keine gute Stimmung da vorn im Opel-Eimer-Cockpit!

Mama sagt, dass Papa die Autobahn-Abfahrt verpasst hat, und Papa sagt, dass Mama ihm vielleicht etwas früher als drei Meter vor der verpassten Abfahrt hätte Bescheid geben können, dass es hier abgeht. Worauf Mama ihm sagt, dass Papa sie ja vielleicht einfach mal fragen könnte, wenn er keine Ahnung hat, wo's langgeht. Worauf er nun wieder irgendwas sagt, was natürlich überhaupt gar keinen Sinn ergibt. Weil er ein Depp ist, und **DAS** wiederum sagt Mama ihm auch gerade.

»**RICHTIG, MAMA!**«, sag ich da nur von hinten.

»**HALT DU DICH DA RAUS!**«, antworten beide da nur von vorn.

Pff...

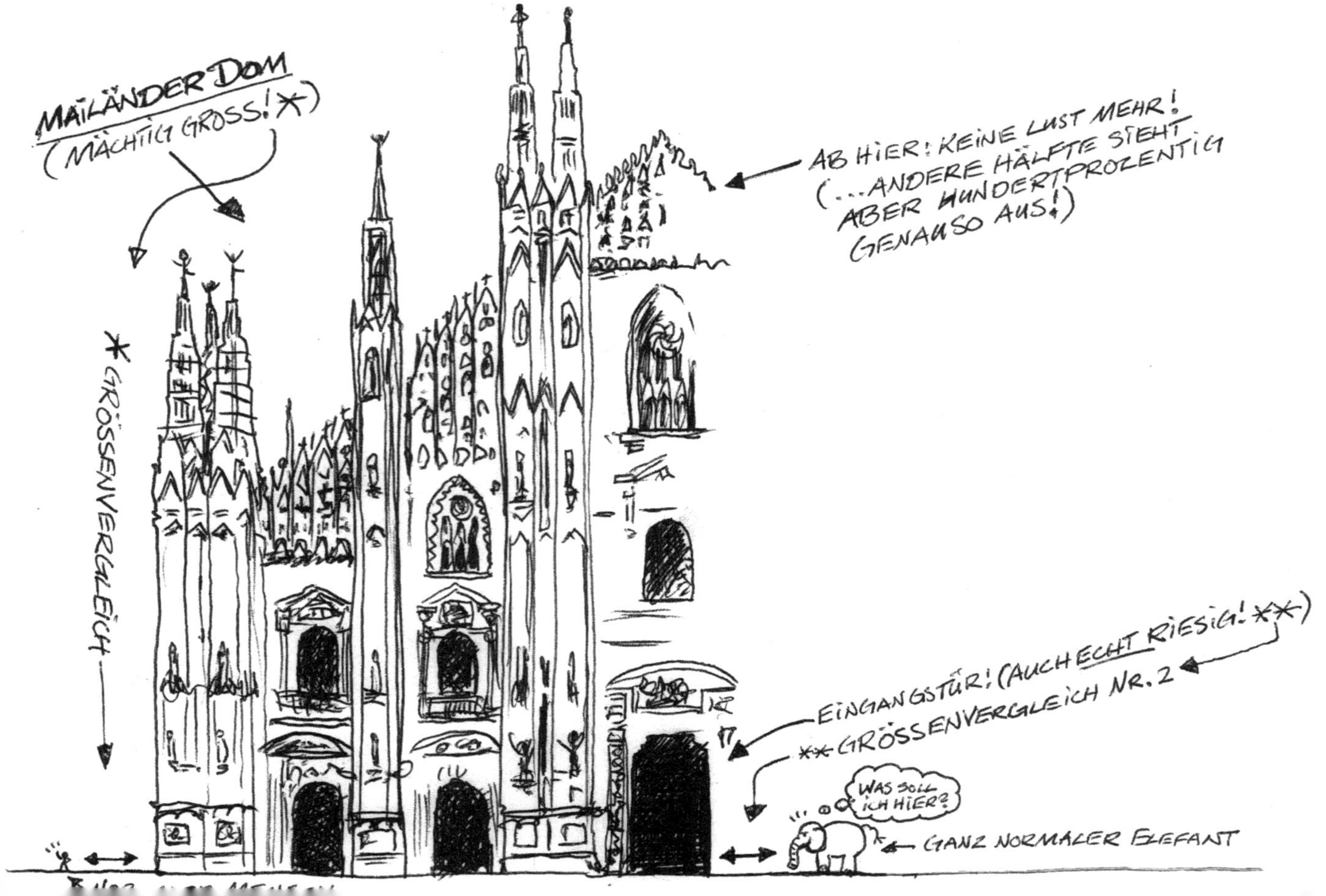
MAILÄNDER DOM
(MÄCHTIG GROSS! *)
AB HIER: KEINE LUST MEHR!
(...ANDERE HÄLFTE STEHT ABER HUNDERTPROZENTIG GENAUSO AUS!)
* GRÖSSENVERGLEICH
EINGANGSTÜR! (AUCH ECHT RIESIG! **)
** GRÖSSENVERGLEICH NR. 2
WAS SOLL ICH HIER?
GANZ NORMALER ELEFANT

COMO JUCKEL JUCKEL JUCKEL JUCKEL JUCKEL JUCKEL MAILAND

... irgendwann hat Papa doch noch den richtigen Weg nach Mailand gefunden, wo wir dann einen Dom, ein Schloss und Gott sei Dank nur ein Museum besichtigen mussten. ... aber dafür noch 5000 andere alte Steine und Plätze.

Mailand ist schon ganz chic, aber nun sind wir alle körperlich am Ende. Außer Mama, der Sportskanone, versteht sich.

Jedenfalls muss ich dir gestehen, dass ich mich nie mehr als jetzt darauf gefreut habe, nun wieder in dem grässlichsten Auto der kompletten Weltgeschichte zu sitzen. Und das auch noch auf dem Platz des größten Idioten der kompletten Weltgeschichte: Hendrik Lehmann!

Scheint jedenfalls sein Platz zu sein, weil, wenn ich's richtig sehe, ist nur diese Seite mit Snickers-Papier, Obstschalen und was weiß ich noch alles zugemüllt. Da hat Hannah mehr Glück. Die rechte Seite ist sauber.

COMO JUCKEL JUCKEL JUCKEL JUCKEL JUCKEL MAILAND

... angenommen, es gäbe eine Autotestzeitschrift extra nur für Schrottkombis, ich glaube, da wäre ich jetzt der richtige Mann für die Testberichte.

Der große Juckelgurken-Vergleichstest: VW GOLF gegen OPEL ASTRA!

Ein ausführlicher Fahrbericht von unserem tollkühnen Juckelgurken-Experten Jan Hensen: Unterm Strich haben beide Fahrzeuge die Bezeichnung »Fahrzeug« nicht verdient ...
... Punkt!

... außer vielleicht noch, dass der Opel Astra im Vergleich zum VW Golf **NOCH** weniger Beinfreiheit hat! Das hält man ja nicht für möglich, aber das geht! Hat mich schon auf der Hinfahrt genervt! Man kriegt bei dieser Schrottkiste seine Füße einfach nicht unter den Fahrersitz. Was eigentlich wiederum auch komplett egal ist, weil die Beine irgendwann sowieso einschlafen und dann merkt man eh nix mehr!

... es sei denn, Hendrik Lehmann, dieses ganz erstaunliche kleine Ferkel, hat unter dem Fahrersitz noch eine weitere Mülldeponie angelegt. Was weiß ich denn – vielleicht stopft der Blödmann ja schon seit Ewigkeiten angefressene Butterkekse, Coladosen, Milchfläschchen unter den Sitz ...

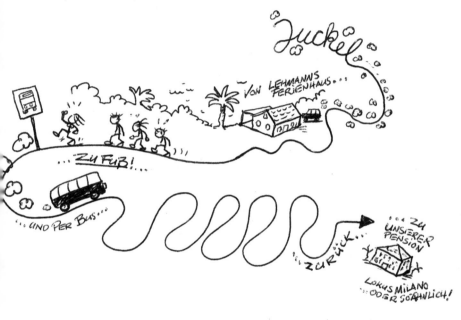

... ich hab nachgesehen! Butterkeks, Milchfläschchen: Fehlanzeige!

Aber du hast ja keine Ahnung, was ich stattdessen entdeckte! Also ich spreche jetzt nicht von dem vergammelten Pfirsich, in den ich voll reingepackt habe. Auch nicht von dem dämlichen Verbandskasten, der der Grund für die fehlende

Fußfreiheit war. Nein, Kumpel, ich spreche von etwas, das noch hinter dem Verbandskasten lag: einem Buch! Hendriks Buch!

HENDRIK LEHMANNS TAGEBUCH!
PERSÖNLICHE EINTRAGUNGEN, DIE NIEMANDEN ETWAS ANGEHEN!

... ein total bescheuerter Titel, aber egal. Ich hab's natürlich sofort gelesen. Jedenfalls so weit ich konnte. Irgendwann kommt man ja selbst mit einem Opel Astra ans Ziel und da musste ich spätestens vor der Haustür von den Lehmanns das Buch wieder dahin verstauen, wo Hendrik Lehmann es versteckt hatte. Verbandskasten davor. Gammelpfirsich auch – alles exakt so, wie es vorher war.

Besonders weit bin ich leider nicht gekommen, weil ich dauernd zu Hannah rüberschielen musste, ob sie peilt, dass ich etwas lese, was mich einen Scheiß angeht, um mich gleich wieder bei Mama und Papa zu verpetzen. Hat sie aber nicht. Also was gepeilt. Klar!

FESTER UMSCHLAG!

... ABER:
SUPER-
LANGWEILIGE
GESTALTUNG!

... UND:
MEINS IST DICKER

Wie auch immer: Ich habe ein paar Seiten lesen können und es ist ... **SCHLIMM**! Richtig, richtig **SCHLIMM**, was Weltautor Hendrik Lehmann sich da zusammengekrickelt hat!

Und damit meine ich jetzt nicht mal seine ätzend langweiligen Reiseberichte über Como hier!

... obwohl – die sind auch richtig schlimm! Elendig lange und öde Beschreibungen über ... *den beeindruckenden Stadtkern von Como, die verwinkelten Gässchen, die hier und dort mit hübschen **Kopfsteinpflaster-Mustern** geschmückt sind, und ...*

... jetzt mal ehrlich, Kumpel! Da möchte man doch am liebsten einen von diesen hübschen Kopfsteinpflastersteinen aus einem der verwinkelten Gässchen rausbuddeln und diesen dann dem Hendrik voll auf seine Schreibhand hauen, oder?!

Aber jetzt pass auf: **WIRKLICH RICHTIG SCHLIMM IST:** Hendrik Lehmann, der vollste aller Vollidioten, hat etwas in sein superprivates Tagebuch notiert, was da ja so was von gar nicht reingehört. Meinen Namen nämlich! Und alle anderen Namen auch! In Verbindung mit einer Klassenfahrt! Und einer ganz bestimmten Nacht! Der Nacht, in der ein Wald brannte! Ein ganz bestimmter Wald! Der im Harz nämlich!

Gehört da alles nicht rein!

Jedenfalls nicht, wenn der Depp sein bescheuertes Buch da hinlegt, wo es die komplette Menschheit nach Lust und Laune lesen kann. Ich meine, wie bescheuert muss man da eigentlich sein! **ALLE** konnten heilfroh sein, dass die Sache nicht aufgeflogen ist. Die Polizei, die Feuerwehr – niemand würde auch nur jemals irgendetwas rauskriegen! Niemand! Und was macht Hendrik Lehmann? Hendrik Lehmann schreibt fröhlich Aufsätze darüber und legt diese dann für die komplette Weltöffentlichkeit unter den Fahrersitz eines Opel Astra!

Auf die Aufsätze bin ich ganz zufällig gestoßen, als mir das Buch aus der Hand fiel und ich es wieder aufheben musste und irgendwo weiter vorne aufgeschlagen habe.

… weil Hannah nämlich ganz plötzlich, ganz ekelhaft schrill rumkreischen musste und mir fast gleichzeitig ein Gammelpfirsich um die Ohren flog. Der Gammelpfirsich nämlich, den ich unter dem Fahrersitz gefunden und neben mir abgelegt hatte. … aus Versehen direkt in Hannahs offenen Stoffbeutel rein, aus dem Hannah dann irgendwas rauskramen musste und natürlich voll in den Gammelpfirsich reingrapschte, um dann ganz plötzlich ganz ekelhaft schrill rumzukreischen, und dann hat sie halt versucht, mir den Gammelpfirsich an die Birne zu hauen, und weil die Gute aber auch selbst zum Treffen zu dämlich ist, flog mir der Gammelpfirsich halt nur um die Ohren und zermatschte an der Fensterscheibe, bevor mir wegen allem dann das Buch aus der Hand fiel!

Was ein bisschen schade war, dass vor uns diesmal kein Trecker hielt, in den Papa normalerweise immer gern mal reinbrettert, wenn er, und Mama auch, nicht auf die Straße gucken, sondern nach hinten, wenn eines ihrer Kinder anfängt, ganz plötzlich und ganz ekelhaft schrill rumzukreischen.

Egal! Buch wieder aufgehoben – Buch wieder aufgeschlagen – und da eben auf einer Seite zufällig als Erstes gelesen: *Jan Hensen war es, der mit nur einem Streichholz das Lagerfeuer entfachte, welches sodann außer Kontrolle geriet und schlussendlich den Großbrand im Harzer Wald verursachte.*

... Buch wieder zugeschlagen, und dann war ich in etwa so gelassen wie jemand, dem man eine tote Ratte in die Hand drückt und der dann irgendwann auch mal peilt, dass man ihm eine tote Ratte in die Hand gedrückt hat. (Ist jetzt nur mal so ein Bild. Ein Vergleich! Mehr nicht!)

Jedenfalls war ich komplett panisch und hätte die tote Ratte – also das Buch!!! – am liebsten direkt aus dem Fenster geworfen. Was natürlich nicht ging! ... Schwester hier, Eltern da!

Wie auch immer, ich hab mich dann stark zusammengerissen, das Buch wieder aufgeschlagen und weitergelesen. Nur um zu gucken, ob Idiot Lehmann wenigstens auch irgendwo notiert hat, dass es *sein* Streichholz war, mit dem ich den halben Harz abgefackelt habe.

Hat er! Also notiert! So ungefähr: *Ich wehrte mich nach Kräften, doch es war zwecklos. Gerrit, Cemal, Sebastian und Jan überwältigten mich und nahmen sich meine Streichhölzer.*

... so ein Arschloch! Weil, wenn man das so liest, dann kriegt man schnell den Eindruck, als wären meine Kumpels und ich komplett gestört.

Was aber sooo wirklich nicht stimmt! Wir waren einfach nur am Ende! Körperlich ... und nervlich halt auch ein bisschen! Zu dem Zeitpunkt jedenfalls. Weil nach zwei Stunden, die wir da schon durch den nächtlichen Harz geschlurft sind, kann man schon mal am Ende sein mit allem, oder?

Gerrit hatte sich nämlich verfranst! Aber total! Die Abkürzung zur Jugendherberge war der absolute Holzweg!

Weil er aber dauernd meinte, dass es nicht mehr weit ist und dass wir gleich da sind, latschten wir ihm halt trotzdem hinterher.

Bis er irgendwann stehen blieb und sagte: »Mädels! Wir müssen noch mal kurz zurück! Und dann ... ähm ... links runter! – Ist nicht mehr weit! Gleich sind wir da!«

Da wurde er einstimmig als Pfadfinder abgewählt und Cemal kriegte den Job. Weil der hatte nämlich behauptet, dass sein Ur-Ur-Urgroßvater mütterlicherseits Indianer gewesen wäre. Und wenn man einmal so einen Indianer im Blut hat, dann weiß man, wo's langgeht. Das fanden wir irgendwie ganz überzeugend.

Bis unser Winnetou aus Ankara dann aber auch irgendwann stehen blieb, sich einfach ins Laub legte und gesagt hat: »Heute ist ein guter Tag zum Sterben!«

»Kein Thema! Schüss!«, meinte Sebastian und ist einfach stumpf weitergegangen. Und wir ihm hinterher – und Cemal dann natürlich auch!

Alles in allem: Die ganze Verlauferei war schon echt ziemlich nervig. – Das ganze bescheuerte Hänsel-und-Gretel-Programm: Finster hier, bitterkalt da und dann ...

... kamen wir aber auch an ein Häuschen!

Und als wir sahen, dass da im Dachfenster sogar noch ein Licht brannte, freuten wir uns auch bescheuert wie Hänsel und Gretel.

Blöderweise guckte dann aber keiner raus aus dem Häuschen. Selbst auf stärkstes Türgehämmer und extremste Hilfe-Brüllerei tat sich nichts da drinnen. Außer, dass da oben im Fenster eben ein Licht brannte, wovon wir jetzt nicht so wahnsinnig viel hatten.

Und weil wir alle echt keinen Bock mehr hatten, auch nur noch einen Meter durch den Wald zu schlurfen, und weil es mittlerweile richtig rattenkalt war, kam die Idee mit dem Feuer auf.

Gut war: Wir brauchten dafür nicht den ganzen Wald nach Brennholz zu durchwühlen – an der Rückwand von der Hütte fanden wir gleich einen ganzen Stapel davon.

Schlecht war: Wir hatten kein Feuer!

Also Gerrit, Cemal, Sebastian und ich hatten keins. Aber Hendrik! Streichhölzer eben! Erstaunlicherweise! Hendrik Mustermann hatte welche! Nur rausrücken wollte er sie dann aber nicht. Richtig blöd war das. Erst sagt er, dass er welche hätte, und dann rückt er sie nicht raus, die Streichhölzer.

»Nein! Auf keinen Fall! Es wäre sehr leichtsinnig, inmitten eines durch Sommerhitze verdorrten Waldes ein Feuer zu machen!«, quäkte er.

Und weil uns bei so viel Klugscheißerei auf einem Haufen so gar nichts mehr einfiel, stürzten wir uns auf ihn, hielten ihn fest und durchwühlten seine Taschen.

FEHLER NR. 2!

»DA! HAB SIE!«, triumphierte ich, als ich die Streichholz-schachtel fand. In seiner Hosentasche war sie! Ekeligerweise unter einem Tempo, einem gebrauchten!

Aber egal! Wir hatten die Streichhölzer und konnten damit ein kleines Lagerfeuer entfachen. Also ich dann eben.

Wir pflanzten uns davor und grinsten dämlich vor Wärme und Glück. ... **AUCH** Hendrik Lehmann!

Aber glaub jetzt bloß nicht, dass er das auch nur irgendwo in seinem Kackbuch notiert hätte!

Alles war so wunderbar!

Um uns herum der schweigende Wald. Über uns das blinkende Universum. Vor uns das prasselnde Feuer, aus dem hin und wieder lustig ein Funken sprang ...

FEHLER NR. 3!

... bis dann irgendwann ein Funken lustig zurücksprang! *In* das Feuer! Nicht *aus* ihm heraus!

Wir fragten uns, wie das denn sein konnte, und hatten ziemlich schnell eine Antwort: ein zweites prasselndes Feuer! Hinter uns!

Der Holzstapel an der Blockhütte stand voll in Flammen.

Wir sprangen auf, und das war dann aber auch schon das Einzige, was wir taten, weil wir nicht den blassesten Schimmer hatten, was wir sonst tun sollten.

»Auspinkeln!«, war Gerrits Idee. »Keine Panik, Männer! Ich regle das.«

Und dann stiefelte er cool wie ein Cowboy auf den brennenden Holzstapel zu, stellte sich breitbeinig davor, kramte seinen Pimmel raus und hüpfte dann nicht ganz so cool wie ein Cowboy sofort wieder zurück.

»AU! AU! AU! AU! AU! MEIN SCHNIEDEL BRENNT! AU! AU! AU! HEISS-HEISS-HEISS ...«

Cemal checkte die Lage zwischen Gerrits Beinen und beruhigte ihn: »Äy, Aldäääär! Cool bleiben! Da brennt gor nix. Steck dein Micker-Teil einfach wieder in deine Lilly-Fee-Unterhose und alles wird gut!«

Aber nichts wurde gut! Es war Wahnsinn, wie schnell sich das Feuer auf die komplette Rückwand der Blockhütte ausbreitete.

Und dann hörten wir Schreie. Von der Vorderseite her. Wie das Gequieke von einer Sau, die vor ihrem Schlachter steht.

Wir wetzten nach vorn, um nachzusehen, wer die Sau war: Hendrik Lehmann!

Er hatte längst gepeilt, dass wir das Feuer im Leben nicht mehr unter Kontrolle kriegen würden. Er hämmerte wie wild gegen die Tür und quiekte sich die Seele aus dem Leib.

»Es brennt! Es brennt! Die Hütte brennt!«

»Lehmann, was tust du da? Da ist kein Schwein!«, rief Sebastian.

»Und wenn doch? Was ist mit dem Fenster? Warum brennt da Licht?«, schrie Hendrik und bollerte weiter gegen die Tür.

»Ist doch scheißegal, warum da Licht brennt. Da brennt halt Licht. Kann doch mal da brennen, das Licht. Auch ohne, dass jemand zu Hau...«, meinte ich dann und dann gar nichts mehr, weil es plötzlich anfing zu regnen. Funken nämlich!

Wie auf Kommando sprangen alle gleichzeitig ein paar Meter zurück, um zu gucken, woher der Funkenregen kam.

Er kam aus einem Baum. Einer Tanne, die über das Haus ragte. Das Feuer hatte längst das Dach erreicht und war auf die erste Tanne übergesprungen.

»**SCHEISSE! SCHEISSE! SCHEISSE!**«, brüllten wir und rannten weg. Komplett panisch! Nur weg von dem Feuer, rein in den Wald.

... und weißt du? Exakt bis hierher konnte ich diese Geschichte auf der Rückfahrt von Mailand nach Como nachlesen. Wort für Wort! ... also natürlich nicht Wort für Wort, sondern in diesem kranken Satzgewurschtel von Hendrik Lehmanns

Tagebuch. Bis ich, wie gesagt, nicht mehr weiterlesen konnte und ich das Buch wieder zurücklegen musste. Unter den Fahrersitz hinter Verbandskasten und Gammelpfirsich.

OKAY, kann sein, dass **DU** dir jetzt sagst: »Schlimme Sache, das alles! Aber ... öhm ... ich versteh nicht ganz! Da regt der Jan sich über Hendriks Schreiblust auf und dann textet der mich hier selber zu mit der kompletten Geschichte. Das ist alles nicht sehr logisch! ... so ein Hirni!«

Und dann müsste ich dir aber darauf antworten: »Erstens: Selber Hirni! Und zweitens: Natürlich ist es logisch! Weil **ICH** und **DU**, mein Freund – also quasi **WIR BEIDE** – haben über mein Tagebuch **JEDERZEIT** die absolute Kontrolle! ... im Gegensatz zu Hendrik Lehmann! Da ist irgendwie gar nichts unter Kontrolle. Einerseits hält er zu Hause dicht wie ein russisches Atom-U-Boot. ... aus mir komplett unbekannten Gründen. – Andererseits verfasst er perfekte Polizeiberichte, die er für die versammelte Menschheit unter einem Opel-Astra-Pups-Sitz bereithält.

Hendrik Lehmann ist und bleibt ein wandelnder Schwachpunkt, außer Kontrolle!

... und das macht mir halt ein *bisschen* Angst!

TAG 9

Alles ist saudoof!

Da wir ja dank meines genialen Herrn Vater komplett bewegungsunfähig sind und auch der *Opel Astra Caravan Diesel TD Dream* von 1648 heute von den Lehmanns selbst gebraucht wird, mussten wir heute Morgen in einem komplett überfüllten Bus zum See runtergurken.

Ich dachte noch: ›Was soll's! Irgendwann wird auch dieser Blecheimer ankommen und dann werde ich Jasper und Dimytrié am See treffen und mit ihnen den ganzen Tag mit Frisbee, Schwimmen und tausend anderen schönen Dingen verbringen können.

Weit weg von Schrott-Kombis und Konserven-Bus-Dosen, weit weg von Hendrik Lehmann – der mit seinen Eltern einen Ausflug macht und mir daher heute nicht über den Weg laufen kann – und deshalb auch: weit, weit weg von dem Gedanken an meinen Game-over-Button.‹

Wir kommen also irgendwann tatsächlich an und ich suche das Strandbad nach Jasper und Diimitry ab.

Hab sie auch gefunden. Sie saßen da zusammen mit einem dritten Jungen und machten irgendwas.

Ich da hin und dachte noch: ›Ja gaihiel! Dann sind wir ja zu viert und können zwei Mannschaften für Volleyball machen!‹

Aber als ich dann näher komme, erkenne ich, wer der dritte Junge ist ...

Rate es! Streng dich an! Gib alles! ...

... **BINGO!** – Hendrik Lehmann!

Er saß da mit **MEINEN** Freunden und alle drei glotzten wie gebannt auf ein blattgroßes Ding, das Dschimmitiri gerade sanft hin- und herschaukelte – Hendrik Lehmanns iPad!

Wo ist der Button?

»Was machst du denn hier? Du sollst auf einem Ausflug sein!«, sage ich.

Und er: »Oh! Hallo Jan! Den Ausflug haben wir auf heute Nachmittag verlegt! Wegen der zu erwartenden Mittagshitze! Aber schau doch mal: Wir spielen gerade ein spannendes Computerspiel! Es heißt *Real Asphalt HD*, ein Autorennen. – Kennst du es?«

DIMÜTRY

»**Nein!** Interessiert mich auch nicht!«, lüge ich.

Natürlich kenne ich Real Asphalt HD! Es zählt zu meinen absoluten Top-Favoriten unter allen Hammer-Apps, die ich überhaupt kenne. Gerrit hat es auch auf seinem iPad. Wir spielen es ziemlich oft.

So gelangweilt wie nur irgend möglich schielte ich auf das Display und wusste auf Anhieb, dass Dschimmmitry auf eine ziemlich tückische Straßenschikane zurast. Ich musste mich echt zusammenreißen, um ihn nicht zu warnen, dass er unbedingt vom Gas runtergehen muss.

Dimmittry knallte dann ganz normal mit 300 Sachen gegen einen Baum und vergeigte sein Rennen.

Er gab das iPad Hendrik zurück und der hielt es mir unter die Nase und sagt: »Willst du nicht mitspie...«

»**Nein!**«

Und dann machten Jasper und Dingsmitrie auch noch ein paar internationale Handzeichen, dass ich mich doch dazusetzen sollte.

Ohne groß nachzudenken, habe ich mich aber verabschiedet und so getan, als hätte ich es gerade sehr eilig.

»Jammer! Tott ßiens!«, rief Jasper hinterher. Was wohl *Schade! Bis bald!* oder so was hieß.

»Dovvstretschi«, oder-was-auch-immer rief Dimmitrillie hinterher und meinte wohl sehr wahrscheinlich dasselbe wie Jasper.

»Sehr schade! Bis bald, Jan!«, rief Hendrik und meinte es wohl auch so, wie er es sagte, aber frei übersetzt habe ich es mir mit: *Jan Hensen! Die Welt ist klein, und ganz egal, wohin du dich verkriechst – **ich, Hendrik Lehmann, finde dich und versau dir den Urlaub!***

Ich bin keine zehn Meter gegangen, da habe ich es auch schon bereut, dass ich abgehauen bin. Aber nun konnte ich natürlich nicht mehr zurück! Das wäre peinlich gewesen! Erst einen auf wichtig machen und so tun, als hätte man einen Termin mit dem Papst, und dann zurückgekrochen kommen und betteln: *Darf ich mit-spie-läään???*

NEVER! NIEMALS!

Hendrik Lehmann hatte es also geschafft: Er hat mir meine Freunde weggenommen. Mit seinem iPad ... und *Real Asphalt HD!* **MEINEM** Spiel!

Und da ich nun aber noch die fragenden Blicke der drei Jungs im Nacken spürte, weil sie bestimmt wissen wollten, was der Jan wohl so Wichtiges vorhat, fiel mir nix Besseres ein, als zum anderen Ende vom Strandbad zu stampfen. Rüber zu Hannah, um mich neben sie unter den Sonnenschirm zu setzen. Um so zu tun, als würde ich ein enorm wichtiges Gespräch mit ihr führen müssen.

»Was willst du, Opfer?! Hau ab!«, begann Hannah das enorm wichtige Gespräch.

»Ähm..., was macht dein Sonnenbrand?«, führte ich das enorm wichtige Gespräch fort.

»? ¿ ?«

Hannahs Fragezeichen habe ich förmlich in ihrer hohlen Birne würfeln hören. Dass ausgerechnet ich mich nach ihrem Wohlbefinden erkundigte, musste für sie in etwa so sein, als würden Mistkäfer plötzlich damit anfangen, ihre MP3-Lieblingshits mitzuträllern.

»Geht so! Und jetzt mach dich vom Acker! Ich will lesen!«, antwortete sie.

Das enorm wichtige Gespräch war ziemlich am Ende, die Jungs glotzten aber immer noch und ich musste mir etwas einfallen lassen, um nicht als totaler Depp dazustehen.

Meine Eltern und die von Hendrik lagen nur ein paar Schritte von meiner hohlen Schwester entfernt auf Liegestühlen herum und von da kam unerwartet meine letzte Rettung.

Papa steht auf, läuft an uns vorbei und sagt: »Ich fahr mal kurz mit Lehmanns Wagen zum Supermarkt. Ein paar Sachen einkaufen, für morgen.«

»DARF ICH MITFAHREN, PAPAAA?«

Mein Vater hat sich zwar tierisch gewundert, weil er weiß, wie sehr ich den Popel-Kombi verachte, aber wie auch immer: Ich durfte mit und die Jungs konnten sehen, dass ich anscheinend tatsächlich etwas Wichtiges vorhatte!

Was für ein Glück!!!

Ich setzte mich in den brutheißen Opel-Brechreiz-Astra auf Hendrik Lehmanns Müllhalde und haute meine bloßen Füße ganz normal unter den Fahrersitz.

... allerdings ohne daran zu denken, dass da ja schon ein eiserner Verbandskasten aus dem Dreißigjährigen Krieg steht, an dem ich mir dann so was von voll die Zehen stieß, dass es die reinste Freude war!

Ich brüllte los wie Godzilla. Direkt in Papas Ohr rein. Der hatte gerade ausparken wollen und rutschte vor Schreck mit seinen Gummilatschen von einem der Pedale ab, sodass der Opel Astra recht sportlich auf die Stoßstange von dem Auto hüpfte, das vor uns parkte. – Ein supergepflegter *Jaguar E-Type V12* aus dem Jahre 1974!

»Ach – du – Scheiße!«, stöhnte Papa.

»Mmpf!«, stöhnte ich, die voll angestoßenen Zehen mit meinen Händen haltend.

»Was nun, sprach Zeus?!«, sprach Papa.

»Sprach wer?«, sprach ich.

OPEL

»Zeus! – Sagt man so!«, sagt Papa.

»Und was nun … Zeus?!?«

»Kei – ne – Ah – nung … Sohn! – Dass ihr auch immer so rumschreien müsst.«

»Wieso *ihr*? Hannah schreit immer rum! – Ich so gut wie nie! – Jetzt ja! Aber echt nicht extra, weil wegen dem Verbandsk…«

»… Mist, Mist, Mist! Das ist nicht gut! Gar nicht gut ist das!«, murmelt Papa, der überhaupt nicht gehört hat, was ich gesagt habe, weil er immerzu den supergepflegten Jaguar E-Type V12 von 1974 anglotzen muss, auf den er gerade mit dem Opel-Haufen der Familie Lehmann draufgehüpft ist.

»Was soll ich nur tun?«, jammert Papa.

»Abhauen?«, schlage ich vor.

»WAS?«

»Abhauen! Lass uns abhauen! – Kein Mensch weit und breit!«

»Das geht nicht!«, sagt Papa und weiter: »… weil … … … …«

JAGUAR E-TYPE V12 VON 1974 (SEHR EDEL, SEHR GEIL, SEHR TEUER) [i-TAiP]

Und dann schaut Papa mich ganz nachdenklich an, dann schaut er sich supernachdenklich um – kein Mensch weit und breit! – und haut mit einem Mal den Rückwärtsgang rein und gibt Gas.

Mit einem ziemlich teuren Geräusch scheppert die edle Jaguar-Stoßstange von 1974 auf den Boden – Papa schaut sich noch mal um – kein Mensch weit und breit! – Papa hämmert den ersten Gang rein und – haut ab!

»Wow!«, sage ich.

»**KEIN WORT!** – zu nichts und niemandem! – okay?«, fragt Papa.

»Ich hab nichts gesehen!«, antworte ich.

»Gut! – Das ist gut, Jan! ... es ist nur, weil dieser Schlitten da ...«

»Ja, der ist ... war super! – *Jaguar E-Type V12, Serie III!* Von '74! Geiles Teil! Da gibt es nicht mehr so wahnsinnig viele von. Und schon gar nicht so super gepflegt wie der ger...«

»Es ist gut, **JAN!** – Ich hab's kapiert, **JAN!**«

Und dann ist Papa wie geplant zu dem Supermarkt gefahren. Wobei er *James-Bond*-mäßig dauernd in den Opel-Astra-Rückspiegel geguckt hat, um sich zu vergewissern, dass uns auch wirklich niemand folgte.

»**KEIN WORT, JAN! – BITTE!** Nicht zu Mama! Nicht zu Hannah! Nicht zu Lehmanns! Und auch nicht zu deinem Freund Hendrik, ja?«

»Hendrik ist nicht mein Freund! Er ist ein Idiot!«, informiere ich meinen Vater.

»Ja klar!«

»Was?«

»Äh ... ich meine: Schade! Aber trotzdem: **KEIN WORT! ... BITTE!**«

»Geht klar, Papa!«

Vor dem Supermarkt stiegen wir aus und untersuchten den Opel auf sehr wahrscheinliche Blechschäden.

Es war unglaublich: Nicht ein Kratzer! Der Wagen sah aus wie neu! – Also natürlich nicht wie neu, aber man sah halt keine neuen Kratzer!

»Puh!«, machte mein Vater. »Ähmmmm... okay, Jan! – Ich spring dann mal eben in den Laden rein. Geht ganz schnell! – Willst du mitkommen oder lieber warten?«

»Warten!«

»Ehrlich? Bei der Hitze? – Die haben da drinnen Klimaanlage.«

»Nö, kein Bock.«

Papa guckte zwar ein wenig schräg, weil er sich wahrscheinlich fragte, warum ich überhaupt mitfahren wollte, sagte dann aber: »Wie du meinst. – Aber mach die Fenster auf. Es ist wirklich heiß.«

Papa ging, ich kurbelte sämtliche Scheiben runter – per Hand, versteht sich. Weil der Opel-*Steinzeit* selbstverständlich auch keine elektrischen Fensterheber hat. Dann setzte ich mich wieder auf Hendrik Lehmanns Mülldeponie, dachte kurz darüber nach, warum ich mich überhaupt die ganze Zeit auf Hendrik Lehmanns Mülldeponie setze, wo doch der rechte Platz komplett schwesterfrei und sauber ist. Und dann dachte ich, dass es mir wohl ein großes Geheimnis bleiben wird, warum ich manchmal so blöd bin und nie nachdenke, und dann dachte ich über Geheimnisse im Allgemeinen nach und warum man überhaupt welche hat, aber dass es eben auch manchmal ganz gut ist, wenn ein Geheimnis ein Geheimnis bleibt und nicht zu einem offenen Buch für die komplette Menschheit wird und ...

... dann klatschte mir plötzlich was voll an die Stirn!

Meine eigene Hand nämlich, weil ich plötzlich wieder daran denken musste, wie blöd ich manchmal bin, weil ich nie nachdenke!

»**Das Buch!**«, sprach ich mit mir selbst und tauchte im nächsten Moment aber auch schon unter den Fahrersitz, um nachzugucken, ob Vollidiot Lehmann es da immer noch hat liegen lassen.

Ich hatte Glück! Es war noch da! ... der Pfirsich oder das, was davon übrig war, übrigens auch noch. Aber da war ich ja nun vorgewarnt und habe diesmal NICHT reingegriffen.

Die Gelegenheit war perfekt: keine Eltern, kein Schwestern-Teil, nur ich und das Buch. **UND** das Allerbeste: Vorn an der Parkplatzeinfahrt gab es einen Papiercontainer! Ich konnte dem Buch also eine echte Chance für einen vernünftigen Neuanfang bieten. Als Klopapierrolle vielleicht.

Ich schnappte mir also das Buch, wollte gerade aussteigen und zum Container rüber, da ...

... dachte ich **NOCH MAL** nach!

›Es kann nicht schaden, noch einmal einen letzten Blick reinzuwerfen‹, dachte ich so nach.

Weil da gab es nämlich einen Punkt in der ganzen elenden Harzer Waldbrandgeschichte, über den ich so gut wie gar nichts wusste. Sozusagen den Verpetze-Punkt! Dass es ihn gab, war klar! Weil wir reden hier schließlich von Hendrik Lehmann, dem Petze-Profi.

Natürlich hatte er Klassenlehrer Krüger bei der erstbesten Gelegenheit alles gesteckt. Nur was genau er ihm gesteckt hat, war nicht ganz klar, weil ich bei dieser erstbesten Gelegenheit natürlich nicht dabei war. Und meine Kumpels natürlich auch nicht.

Wusste Krüger beispielsweise, dass ich derjenige war, der das Feuer gelegt hat? Oder hatte Lehmann das gleich als Gemeinschaftsarbeit von meinen Kumpels und mir durchgereicht? Und was ist eigentlich mit der Pietsch? – Du weißt schon! Frau Pietsch, die Mathelehrerin, die auch mit auf der Klassenfahrt dabei war. – War sie auch voll im Bild? Stand sie vielleicht gerade neben dem Krüger, als Extrem-Weitersager Lehmann seine Meldung gemacht hat?

Fragen über Fragen! Auf die ich aber garantiert gleich einen Haufen Antworten bekommen würde, weil der Lehmann praktisch gesehen jeden einzelnen Furz in seinem Tagebuch vermerkt hat.

Nicht, dass das jetzt irgendetwas ändern würde, wenn ich nun wusste, was der Krüger weiß oder die Pietsch sogar auch. Aber es kann ja nur von Vorteil sein, wenn man selbst weiß, was die Lehrkörper wissen oder eben nicht. Da geht man doch gleich ganz anders um mit so einem Lehrkörper, wenn man selber voll im Bild ist.

Wie gesagt: Dass ich bis dahin nicht voll im Bild war, hat ganz stark damit zu tun, dass meine Kumpels und ich persönlich ja nicht zugegen waren, als Petze-Freak Lehmann seine Brandmeldung gemacht hat.

... weil wir persönlich da ja noch im brennenden Wald herumirrten und um unser Leben bangten, während Hendrik-Arschloch-Lehmann uns schon fröhlich in der Jugendherberge verpfiff.

... was damit zu tun hat, dass wir getrennte Wege gegangen waren.

... also wir hier lang, der Lehmann dort!

... also wenn du's genau wissen willst: getrennte Wege eigentlich schon ab der brennenden Blockhütte!

... und wenn du's ganz genau wissen willst: Wir sind ohne Hendrik Lehmann abgehauen!

Aber nicht extra, Kumpel! Das musst du mir glauben! Wir waren in Panik! Wir hatten einfach nur Schiss!

 Und dass wir nicht mehr ganz vollzählig waren, ist uns ja auch erst viel später aufgefallen. Als wir nämlich irgendwann auf die pfiffige Idee gekommen sind, die Taschenlampen wieder anzuknipsen, damit wir mit der Birne nicht mehr dauernd gegen den nächsten Baum knallen mussten. Da erst haben wir gesehen, dass der Hendrik nicht mehr unter uns war.

Und – mein Freund: Wir hatten ja dann auch noch mal ganz klar überlegt, ob wir nicht doch noch mal zurückwetzen sollten, um dem Hendrik zu helfen, der womöglich in größter Not war.

Und da meinte Gerrit aber: »Och, lass mal! Der kommt schon klar!«

Und Sebastian: »Hmhm! Schlaues Kerlchen, der Lehmann! Der macht das schon!«

Und Cemal: »Lehmann ist ein Fuchs!«

Und ich dann noch mal: »Seh ich genauso! – Also, was tun?«

»Abhauen!«, meinten dann alle und dann sind wir eben weitergerannt. ... ohne Hendrik!

Wie lange wir dann noch durch den Wald gerannt sind, kann ich dir nicht mal mehr genau sagen.

Was ich dir sagen kann, ist, dass wir uns irgendwann alle fühlten wie die Igel. ... also wie welche, die gern mal über die Landstraße latschen und dann ganz normal überfahren werden. – Platt waren wir! Richtig platt!

Und die Nachtluft war mittlerweile auch nicht mehr die frischeste. Irgendwie roch es überall nach verbranntem Toast.

Und irgendwann blieben wir dann einfach stehen. Weil Cemal stehen blieb und sich ins Laub kniete und tierisch laut losjodelte: »**OH ALLAH! ISCH BINN BERREIT FÜR NÄCHSTE LEVEL! WAS-WILLS-DU? SOLL ISCH SEIN DEIN DÖNER-LABERTASCHE? GIB MISCH ANTWORT!**«

Das war witzig. Aber richtig witzig war: Cemal bekam seine Antwort!

Natürlich jetzt nicht von Allah! Aber jemand rief seinen Namen. Krüger nämlich! Der war noch weit weg, aber seine Pausenhof-Blök-Stimme war unverkennbar.

Wir guckten uns doof an und im nächsten Moment rannten wir brüllend los. In Richtung Krüger. Durch den Busch hindurch – aus dem Busch heraus – und voll in den Krüger rein. Umgehauen haben wir ihn. Nicht extra! Aber nun lag er nun mal da, der Krüger. Mitten auf dem Waldweg. Wie ein Käfer auf dem Rücken.

Eins sage ich dir, Kumpel: Nie war ich glücklicher, einen Lehrer zu sehen.

Krüger rappelte sich wieder hoch und blökte direkt weiter: **»Sagt mal, Kinners! Habt ihr eigentlich noch alle Tassen im Schrank? Ihr solltet auf dem Waldweg bleiben!«**

Worauf wir dann aber gar nicht ordentlich antworten konnten, weil wir nämlich alle sehr damit beschäftigt waren, ziemlich doof aus der Wäsche zu gucken. Wegen Hendrik Lehmann nämlich, der ganz überraschenderweise neben Krüger stand.

»Was ist mit dem Feuer?«, blökte Krüger noch mal los, und das war dann natürlich keine Überraschung mehr! – Hendrik Lehmann hatte natürlich gepetzt!

»Er war's!«, antwortete Gerrit dann aber wie aus der Pistole geschossen und zeigte dabei voll auf Hendrik.

Und Cemal dann nahtlos hinterher: »Ganz klar, Schäff! War seine Idee!«

Und Sebastian: » ... **UND** seine Streichhölzer!«

»Alles Lehmanns Schuld!«, setzte ich dann noch einen obendrauf.

Und da hat der Krüger den Hendrik groß angeguckt und ihn gefragt: »Stimmt das, Hendrik?«

... okay, Kumpel! Das war jetzt nicht die ganz feine englische Art! Aber andererseits ist das auch ein ganz natürlicher Vorgang: Wenn jemand petzt, dann wird der ganz klar mit in die Scheiße reingeritten. Das ist ein Naturgesetz!

Und damit hätte der Lehmann ja eigentlich auch rechnen müssen, mit dem Naturgesetz.

Aber dem fiel dann gar nichts mehr ein auf Krügers Frage und er staunte nur noch ein paar Fragezeichen in den verrauchten Sternenhimmel.

»Aber voll korrekt stimmt das, **Schäff**!«, antwortete daher der Cemal für ihn, und darauf dann der Krüger: »Cemal Yildirim! Wenn das wahr ist, habt ihr alle ein gaaanz, gaaanz großes Problem!«

»Hab isch Problemm oder was, Schäff?! Nix hab isch Problemm! Lehmann, Petze alte, hatt Problemm, aber voll krass grosses!«

Und Krüger darauf aber noch mal in so einem ganz ekelhaft mitleidigen Tonfall: »Leute, Leute, Leute! Ich fürchte, das wird ein Nachspiel haben. Für euch alle!«

Und wie auf ein bescheuertes Zeichen hörten wir von irgendwoher auch schon die Sirenen. Die von der Feuerwehr ... und von der Polizei!!!

Weit weg, und sehr wahrscheinlich bretterten sie gerade über irgendeinen Holzweg direkt zum Brandherd hoch, aber trotzdem: Da kriegte ich mächtig Schiss und sah mich auch schon mit Handschellen im Einsatzwagen sitzen.

Und deswegen sage ich dann auch aus purer Verzweiflung: »Das ist doch alles nur Ihre Schuld, Herr Krüger!«

»Wie bitte?«

»Ähm ... ganz genau, Herr Krüger! Wegeeeeen ... der Nachtwanderung und so weiter«, springt dann Sebastian ein.

Und Gerrit schiebt schlau nach: »Exakt! ... ähm ... die Fragen waren viiiiiiiiel zu schwer!«

Und Cemal dann noch: »Voll korrekt! Scheißeschwer! ...öhmmm... und letzte Frage von Staffel-Spiel war Antwortt abber gannz klar: Scheiß Schattz lieckt mitten in scheiß Wald! Weck von Weeg und nix in scheiß Jugendherberge! Kannstukucken, Schäff. War voll krasse Beantwortungslosischkeit von disch.«

Und ausgerechnet darauf bekam dann Musterschüler Lehmann mal wieder eine seiner Arschkriecher-Attacken und schleimt volles Rohr los: »Ach, Herr Krüger! Sie haben ja so einen spannenden Beruf! So viel **VERANTWORTUNG**! Ich frag mich ja manchmal, wie Sie da überhaupt noch in Ruhe schlafen können – Sie ... **UND FRAU PIETSCH!**«

E-KEL-HAFT, sage ich dir.

Und kann gut sein, dass sogar dem Krüger Lehmanns Extrem-Schleimerei in dem Moment mächtig auf die Eier ging, weil der guckt ihn dann so dermaßen genervt an, als wollte er ihm im nächsten Moment einen Haufen Laub in den Mund stopfen, damit da einfach mal Ruhe ist bei Schleimzwerg Lehmann.

Was Krüger dann natürlich nicht getan hat, weil der ist ja schließlich Lehrer, und wenn man Lehrer ist, dann darf man sich vielleicht wünschen, einem Schüler einfach mal einen Haufen Laub in den Mund zu stopfen, aber wirklich machen? – Sicher nicht!

Wie auch immer: Krüger guckt Lehmann extremst genervt an, lässt ihn dann aber links liegen und meint zu uns: »Ähmmmm ... ... ja ... also ... hmm ... **Räusper** – Passt mal auf, Jungs! Das ist doch alles halb so wild! Wie ihr hören könnt, ist die Feuerwehr ja bereits unterwegs, und die wird das dann schon regeln. Und wir gehen jetzt alle hübsch in einer ordentlichen Zweierreihe zurück zur ...«

»**ÄY SCHÄFF!** Sind wir ungerade **FUNF**! Kannst du nix mache flotte Zweierreihe, weil wegen scheiß Primzahl, verstessdu?«

» ...«, versteht Herr Krüger kopfschüttelnd und sagt dann aber einfach weiter: »Also jedenfalls gehen wir jetzt geordnet und ruhig zur Jugendherberge zurück, und dann vergessen wir das Ganze am besten mal ganz schnell! – Kein Wort zu niemandem! Schwamm drüber!«

Und da haben Gerrit, Cemal, Sebastian und ich noch ein zweites Mal megadoof aus der Wäsche geguckt, weil – wir hatten den Krüger kleingekriegt!

Hatte keiner mit gerechnet, dass das so einfach wäre. War aber so!

Nicht, dass ich jetzt wahnsinnig stolz drauf wäre, aber: Die erste Erpressung meines Lebens war ein voller Erfolg!

... warum genau ... na ja ... keine Ahnung!

... ist auch komplett egal irgendwie.

Jedenfalls: Ich jetzt auf dem Parkplatz – vorm Supermarkt – im Opel Astra – auf Lehmanns Mülldeponie – im Tagebuch lange rumgeblättert und dann aber nix gefunden über den ganzen Verpetze-Punkt. Nicht ein Wort über Krüger. Keine Silbe über die Pietsch. Nichts!

Ziemlich seltsam das alles. Weil ich hatte echt gedacht, dass ich *Jugendstrafbuchautor* Hendrik Lehmann da nun ein bisschen besser kennen würde.

Dass der ausgerechnet solche Infos komplett weglässt, ist doch schon ziemlich luschig, oder?!

Aber nun! Ich hätte es bis vor ein paar Tagen ja auch nicht für möglich gehalten, dass Hendrik Lehmann die komplette Geschichte vor seinen Eltern geheim halten würde.

So kann man sich eben irren in einem Menschen.

Wie auch immer: Krüger – Pietsch – und Verpetze-Punkt: Fehlanzeige!

Aber dafür habe ich etwas anderes gefunden. Ziemlich am Ende seiner Harzer-Brandnacht-Notizen hatte Hendrik Lehmann geschrieben: *Der Waldbrand war verheerend und die Opfer zahlreich. Im Internet auf der Seite vom Harzer Tageblatt fand ich schließlich die Meldung. – Auf einer Fläche von rund zwei Fußballfeldern fielen Bäume und gewiss auch manch ein Tier den Flammen zum Opfer. Die Blockhütte brannte bis auf die Grundmauern nieder.*

Und dann gab es natürlich aber auch noch den Herrn Machwitz, den Besitzer der Hütte. ...

... Kumpel! Da kann ich dir jetzt nicht mal mehr so ganz genau sagen, ob das an der Bullenhitze lag oder vielleicht doch eher die Panik war, warum mir die Schweißperlen auf der Stirn standen. – Es gab Opfer! Lehmann hatte sie entdeckt! Im Harzer Tageblatt!

»Opfer! – Oh mein Gott! – Es gab Opfer! – Ein Herr Machwitz – ein Opfer!«, jammerte ich auf meiner Müllhalde herum. Immer wieder! ... und wieder und wieder und wieder!!!

... und als ich mit Jammern fertig war, dachte ich stark über meine Zukunft nach. – Wie sie mich vielleicht eines Tages finden und verhaften würden. Im Unterricht vielleicht. Während ich gerade einen Fehler an die Tafel schreibe. Dann kommen sie ins Klassenzimmer gestürmt. Schwer bewaffnet und schwer sauer. Und dann werfen sie mich ins Gefängnis. In eine feuchte, kalte, enge Zelle. Die ich dann mit einem Massenmörder teilen muss. So einem Typen mit Oberarmen, die so dick sind wie die Oberschenkel von King Kong. Mit bescheuerten Tattoos überall drauf und ...

... und dann guckte ich mich um, von meiner Müllhalde aus. Ganz automatisch. So wie mein Vater vorhin auf seiner kühnen Flucht, so *James-Bond-mäßig* eben. – Vielleicht hatten sie mich ja schon längst im Visier. Also die schwer bewaffneten Jungs von der Polizei. Vielleicht hatten sie den Opel Astra ja schon längst umzingelt und robbten mit ihren Maschinengewehren auf mich zu ... auf dem Parkplatz vor einem italienischen Supermarkt.

Robbte aber keiner.

... außer einer älteren Dame direkt vorm Eingang vom Supermarkt. Die robbte da rum. Vor Papa!

Der war nämlich gerade aus dem Supermarkt herausgetorkelt. Schwer beladen mit Einkaufstaschen. Bis zum Kinn hoch. Und da konnte er halt nicht so genau sehen, wo er langtorkelt, und hatte die ältere Dame umgerempelt. Und die wäre dann fast noch mit ihrem dicken Hintern auf ihrem kleinen Kläffer gelandet, wenn der kleine Kläffer nicht gleichzeitig nach vorne geschossen wäre, um sich in die Gummilatschen von Papa zu verbeißen, worauf Papa vor Schreck die kompletten Einkaufstaschen fallen gelassen hatte. Was insofern ganz praktisch war, weil er dann wenigstens sehen konnte, dass er gerade eine ältere Dame umgerempelt hat.

Und die robbte halt nun zwischen Papas aufgeplatzten Milchtüten und Melonen vor ihm rum und schimpfte tüchtig. Auf Italienisch, versteht sich. Wovon Papa aber kein Wort verstand, weil er kein Italienisch spricht und es dann aber trotzdem irgendwie schaffte, sich zu entschuldigen. Mit Händen und Füßen. Die ältere Dame beruhigte sich, der kleine Kläffer wurde von Papas Gummilatschen entfernt, und dann half die Dame Papa sogar noch, den ganzen Krempel wieder zusammenzupacken.

Lehmanns Buch und ich schauten noch mal sehnsüchtig zum Papiercontainer rüber, dann entschied ich mich aber, das Buch wieder unter den Sitz zu stopfen. Aus rein zeitlichen Gründen. Weil dann war Papa auch schon da. Er machte die Fahrertür auf, legte die Einkaufstaschen auf den Beifahrersitz, ließ sich selber müde auf den Fahrersitz fallen und stöhnte: »Nicht mein Tag heute!«

»Meiner auch nicht!«, stöhnte ich zurück.

Ich kann nicht einpennen. Es ist irgendwas um drei Uhr morgens, in dem Bett neben mir liegt Hannah und schläft wie ein ausgestorbenes Tier, nur ich selber kann einfach nicht einpennen. Hab sogar schon Schafe gezählt. Total albern ist das. Schafe zählen. Das macht einen doch total kirre. Ich bin auch nur bis drei gekommen, weil das vierte Schaf, von dem ich mir vorstellte, dass es an mir vorüberspringt und von mir gezählt werden will, war kein Schaf, sondern: Hendrik Lehmann.

Der will mir einfach nicht aus dem Kopf.

... Opfer!

Warum schreibt der auch so was? Warum ist der so? Warum muss Hendrik Lehmann immer **ALLES GANZ GENAU** wissen? Warum kann der sich nicht einfach mal locker machen? Er hätte doch im Internet genauso gut nach kniffligen Matheaufgaben suchen können oder Briefmarken, Wappen oder irgendeinen anderen Müll, wofür sich Hochbegabte so interessieren. – Vielleicht mal chatten. Ja! Leute kennenlernen. Freunde finden. Typen wie Torsten, Carsten, Sören. Und denen dann die Freundin ausspannen, die vielleicht

Sabine heißt! Ein Date mit ihr klar machen. Sie in 20 Jahren heiraten! Drei Kinder kriegen! Und nur, um Torsten, Carsten, Sören ordentlich zu ärgern, sie Torsten, Carsten, Sören taufen, auch wenn's Mädchen sind. – Einfach nur mal **SPASS HABEN!!!**

... *schlafen!* Ich will schlafen!!! ... ... **ein Schaf, zwei Schaf, drei Schaf ...**

... OPFER! ES GAB OPFER!

Weißt du, ich bin jetzt nicht total bescheuert! Und meine Kumpels natürlich auch nicht. Natürlich haben wir uns da auch brennend für interessiert, ob bei unserem Harzer Feuerwerk noch Schlimmeres passiert sein könnte. Ob eventuell, ganz vielleicht, möglicherweise Menschen ums Leben gekommen sind ... sein könnten!!!

Das Ding ist, dass wir die Sache einfach nur anders angegangen sind. – Wir haben nichts getan! Nur abgewartet ... und gebetet vielleicht auch noch! Gebetet, dass da nicht vielleicht doch noch irgendeine Horrormeldung auftaucht in der Tagesschau oder in der Bild-Zeitung. Tauchte aber nicht.

Bis gestern Morgen eben! Auf einem Parkplatz vor einem italienischen Supermarkt in einem

Opel Astra auf einer Müllhalde in Hendrik Lehmanns Tagebuch – da tauchte die Meldung auf! ... dieser voll korrekte
Vollidiot von Lehmann! Warum ist der nur so? Warum kenne
ich überhaupt Leute, die so sind? Warum nur?

... *schlafen!* Einfach nur schlafen! ... ... **ein Schaf, zwei Schaf,**
drei Schaf ...

... OPFER! – EIN HERR MACHWITZ!

Kann das denn wirklich sein, dass der tot ist?

Kumpel, eigentlich sollte ich es ja nun wissen! Weil schließlich habe ich fast den halben Vormittag damit verplempert,
das höchst geheime Tagebuch von Dichterfürst Lehmann zu
lesen. ... auf einem Parkplatz vor einem italienischen Supermarkt in einem Opel Astra auf einer Müllhalde. So bescheuert muss man erst mal sein.

... wie auch immer! Es steht nicht hundertprozentig drin
in dem Tagebuch, ob der Mann, der da Machwitz heißt, auch
wirklich zu hundert Prozent tot ist.

Weil an der entscheidenden Stelle schweigt der Autor. Da
schreibt der Hendrik auf der einen Seite noch, dass ja alles
mächtig verheerend war und die Opfer recht zahlreich, und
dann geht das aber auf der nächsten Seite gar nicht weiter
mit der verheerenden Opfer-Zählerei.

Auf der nächsten Seite schreibt er nämlich einfach fröhlich
drauflos, wie herrlich es doch am Comer See ist und wie sehr

ihn der ganze alte Krempel hier begeistert. Also Denkmäler, Kirchen, Kopfsteinpflaster ... – kompletter Themenwechsel! Keine Ahnung, warum! Ist eigentlich nicht sein Stil! ... oder irgendwie ja auch doch! Weil ausgerechnet da, wo es denn mal richtig spannend werden könnte in seinem scheißlangweiligen Tagebuch, bricht er einfach ab und pflastert einen wieder zu mit seinen öden Urlaubseindrücken.

... Idiot!

... schlafen! ... schlafen! ... schlafen! ... ... **ein Schaf, zwei Schaf, drei Schaf, v...**

... OPFER! TOTALER QUATSCH!

Da war kein Mensch in der Hütte! Der hätte uns doch gehört, der Mensch da in der Hütte! Wir haben gebrüllt wie die Idioten und null Reaktion! – Hab ich aber auch alles schon erzählt.

Und überhaupt, ich bleib dabei: Wenn sich da auch nur irgendjemand ein Haar versengt hätte, da bei diesem lächerlichen Waldfeuerchen, dann hätte es unter Garantie auch in der Bild-Zeitung gestanden. Ich meine, wenn die so was nicht mal mehr reinschreiben, was denn dann? Das wollen die Leute doch lesen!

Mann verbrennt qualvoll, elendig, grausam im Flammenmeer!

Lesen Sie jetzt auf Seite 3, wie qualvoll, elendig, grausam der Mann bei lebendigem Leibe verbrannte! ... und wie lange er brannte, auch!

... stand da alles nicht drin, in der Bild-Zeitung! Weil nicht ein Schwein verbrannte, da im Flammenmeer. Und ein Mann sowieso nicht. Nicht einmal ein Haar von ihm. Und schon gar nicht qualvoll, elendig, grausam.

So ist das nämlich alles!

... oder?

Was meinst du, Kumpel?

Iᴄʜ meine, dass ...

... ich es nicht genau weiß!

... ich weiß nur, dass ich jetzt schlafen will!

... *schlafen!* Einfach nur schlafen! ... ... **ein Schaf,** zwei **Schaf, drei Schaf,** vier Sch...narch!

145

TAG 10

Warst du eigentlich schon mal am Mittelmeer? Oder an der Riviera? Was praktisch gesehen auch ein Teil vom Mittelmeer ist und hier eben nur anders heißt, weil die Leute, die in dieser Ecke wohnen, sich vielleicht gesagt haben: ›Komm! Das nennen wir jetzt einfach mal *Riviera*! Das klingt irgendwie cooler, irgendwie italienischer als *Mittelmeer*!‹.

Jedenfalls: Falls du noch nicht da warst, sag ich dir eins: Lohnt nicht! Nicht schön da, an der Riviera! Nicht hinfahren! Und schon gar nicht mit einem Opel Astra!

Die Riviera liegt nur 200 Kilometer von Como entfernt. Ein *Katzensprung* quasi. In einer Stunde kann man locker da sein.

146

... mit 200 Sachen! Mit einem vernünftigen Auto. Mit einem Porsche Cayenne zum Beispiel. Oder einem VW Touareg. Selbst ein Jaguar E-Type V12 von 1974 würde das locker schaffen. Auch ohne Stoßstange! In einer Stunde! Locker!

Vier Stunden Fahrtzeit benötigt der Opel Astra mit Papa *Bond* hinterm Lenkrad! **VIER!!!**

Gekrochen sind wir! **VIER VERDAMMTE STUNDEN LANG!** Hat so auch keiner mit gerechnet. Zwei Stunden hieß es vor der Fahrt! Allerhöchstens drei! **KATZENSPRUNG!** ... pfff!

Ich hätte einfach nicht mitfahren sollen. Wollte ich auch gar nicht! Hab ich auch gesagt! Heute Morgen in Como an der Pension hab ich es gesagt.

»**DA** steig **ICH** nicht ein!«, hab ich gesagt heute Morgen in Como an der Pension.

»Jan, jetzt werd' nicht albern und komm rein!«, hat Mama gesagt.

Und Hannah noch: »Pflanz dich endlich da hin, du Spasti!«

»**HANNAH!**«, hat Papa geschimpft, und zu mir dann noch mal: »Komm, Jan! Setz dich jetzt bitte rein. Wir wollen los!«

»**NICHT** auf **DIESEN** Platz!«, habe ich dann wieder gesagt und darauf gezeigt, worum es mir ging: um Hendriks Platz. Diese verklebte Mülldeponie, die seit Lehmanns Ausflug gestern noch größer geworden ist.

Keine Ahnung, ob das irgend so ein Hochbegabten-Ding ist. Vielleicht gehört das ja dazu, dass die größten Genies der Weltgeschichte auch die größten Schlampen der Weltgeschichte sein müssen. Weil sie sonst keine Atomkerne spalten können oder Apfelkuchen oder was weiß ich denn.

»Ich sage **NEIN!** und fertig!«, sage ich noch mal, und Papa dann: »Dann tauscht die Plätze! – Hannah, rutsch rüber und lass Jan da sitzen!«

»**NEVER!**«, schrie Hannah, und dann machte sie aber im nächsten Moment was total Verrücktes: Sie hörte auf Papa und setzte sich brav auf Hendriks Platz.

Was vielleicht damit zu tun hatte, dass Mama vorher seelenruhig bemerkte: »Dann fällt der Ausflug zum Mittelmeer eben ins Wasser.«

Was nicht das Schlechteste gewesen wäre. Aber egal: Hannah setzte sich auf Hendriks Platz, und was dann wirklich nicht schlecht war, richtig super sogar: Hannah hatte keine Schuhe an! Und so musste ich leiderleiderleider tatenlos danebenstehen und zusehen, wie an die zehn pinklackierte Zehen volles Pfund gegen einen eisernen Verbandskasten traten.

Hannah brüllte den Opel voll, worauf Papa vor Schreck allerdings diesmal absolut nirgendwo reinbrettern oder draufhüpfen konnte mit dem Opel, weil der Motor ja auch noch gar nicht an war.

Dann – orgel, orgel, orgel – eierten wir schließlich vom Parkplatz und krochen Richtung Riviera.

Wir waren gerade auf der Autobahn, als ich plötzlich wieder darüber nachdenken musste, wie blöd ich aber auch manchmal bin, weil ich nie nachdenke. – Niemals hätte ich mit Hannah die Plätze tauschen dürfen! Mich einfach auf Hendriks Müllhaufen setzen, das hätte ich tun müssen! Wie ein Indianer: aufrecht, stolz und ohne Jammern!

Doch jetzt war es zu spät. Hannah war auf die Idee gekommen, unter dem Fahrersitz nachzusehen. Um sich mehr Platz zu verschaffen. Für die Füße.

»uuuuääh – ist das ekelig!«, zickte sie rum und warf etwas Pfirsichähnliches aus dem Fenster. Sehr alt, sehr bunt, wirklich *sehr* ekelig.

Normalerweise hätte ich jetzt petzen müssen, dass Hannah so etwas tat, mitten auf der Autobahn, aber ich war viel zu geschockt. – Ich musste zusehen, wie sie als Nächstes einen Verbandskasten hervorkramte ... und ein Buch!

»*Hendrik Lehmanns Tagebuch! Persönliche Eintragungen, die niemanden etwas angehen!*«, las sie vor, was aber nur ich hören konnte, weil Papa den Opel Astra mittlerweile auf gigantische 110 Stundenkilometer hochgepeitscht hatte – voller *Dröhn*-Modus.

»Was für ein bescheuerter Titel!«, grinste Hannah und schlug das Buch auf.

Ich starrte Hannah an wie eine Sau den Schlachter, die gerade erst gepeilt hat, dass sie vor einem Schlachter steht. Komplette Schockstarre.

Hannah las. Ich starrte.

»Gott, ist das mies!«, sagte sie endlich nach einer Ewigkeit.

»... ... ...«, sagte ich, weil ich nur starren konnte und nichts sagen.

Und dann – plötzlich, unerwartet, überraschenderweise, mit einem Mal – schlug sie das Buch zu. Einfach so.

»... ... ... ähm. Was steht denn drin?«, frage ich so harmlos wie möglich, weil ich natürlich wissen wollte, was Hannah nun wusste.

»Kompletter Müll steht drin! Irgendein Scheiß über Comos Kopfsteinpflaster. Der hat sie doch nicht alle!«

151

Dann warf sie mir das Buch zu. Und den Verbandskasten auch. Voll auf die Oberschenkel.

»Das bleibt auf **DEINER** Seite! Wenn ich hier schon sitzen muss, dann ...«

»**ALLES KLAR DAHINTEN?**«, überbrüllte Papa das Opel-Astra-Fahrgeräusch.

»**ALLES SUPER!**«, brüllte ich zurück.

Worauf mich Hannah extrem erstaunt ansah, weil sie ganz klar damit gerechnet hatte, dass ich ganz normal drauflos petzen würde. Mama und Papa die Ohren vollheulen. Weil schließlich hatte sie gerade versucht, mir beide Beine zu brechen. Mit einem Verbandskasten. Und einem Buch. Hendriks Tagebuch!

Ich packte aber nur den Verbandskasten beiseite und das Buch bei der nächstbesten Gelegenheit in meinen Rucksack. Nämlich als Hannah ihre Nase wieder in ihre BRAVO steckte und ihre MP3-Stöpsel in die Ohren, also nix mehr peilte.

›Alles super!‹, dachte ich noch mal und grinste zufrieden in die öde Landschaft, durch die wir gerade juckelten.

»**DAS IST DIE *PO-EBENE*, KINDER! – WEGEN DEM FLUSS HIER, DER SO HEISST. *PO*!**«, brüllte mein Vater.

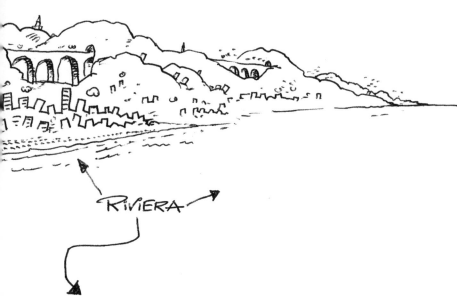

Es ist saublöd hier an der Riviera! Man liegt doof im Staub rum, schlurft alle halbe Stunde ins pisswarme Salzwasser, schlurft dann wieder zurück, um wieder doof im Staub rumzuliegen.

Aber, Kumpel, ich habe einen Plan. Und dafür ist die Riviera perfekt. – Ich werde Hendrik Lehmanns Tagebuch endgültig verschwinden lassen. Es ertränken! Jetzt gleich! Hier in der Riviera! Und niemand wird es sehen. Mama nicht, Papa nicht, Hannah sowieso nicht. Und alle anderen 30.000 Menschen auch nicht, die hier um uns herumliegen, wie gestrandete Pottwale.

Gleich werde ich es tun und – nur die Sonne war Zeuge!
... perfekt!

Der Plan war perfekt: Ich stopfte Hendrik Lehmanns Meisterwerk unauffällig in die Badehose, schlurfte zum Wasser, hüpfte ein paar Meter ins Meer rein, kramte das Buch raus und ließ es los. Perfekt! ... bis hierhin jedenfalls! Denn dann tauchte es nämlich ganz unplanmäßig wieder auf, das Buch, und schwamm vor meiner Nase rum.

»Es kann schwimmen«, sagte ich zu mir selbst.

»NATÜRLICH KANN ES DAS, DU BLÖDMANN! DAS IST PHYSIK!«, quietschte mir etwas ins Ohr. – Ein kleines Mädchen, das plötzlich neben mir bis zum Hals im Wasser stand. So sieben oder acht Jahre alt und ein bisschen pummelig auch.

»Was weißt du von Physik, du Flusspferd!«

»MAAAMMIIII!
DER JUNGE HAT FLUSSPFERD ZU MIR GESAGT!«

»WELCHER JUNGE, SCHANÄTT?«, brüllte
dann etwas hinter mir. Janets Mami. Auf einer Luftmatratze.

154

»DER DAAAAAAAAAAAAAAAAAAAAAAAAA!«

In null komma nichts war sie da, die Mami. Schnell wie ein Kriegsschiff.

»*See*-Pferd! Ich meinte *Seepferd*! Nicht *Fluss*! Ehrlich! **See**! **See**! **See**! Ich hab mich versprochen!!!«, war das Einzige, was mir zu meiner Verteidigung einfiel.

Mami peilte die Lage. Sie guckte Janet an. Dann mich. Dann das Buch, das ich jetzt klammernd vor meiner Brust hielt ... im Mittelmeer!

»Komm, Schanätt! Lass den Doofkopp mal! Der hat ja nich alle Latten am Zaun!« Dann rauschten sie ab. Ließen mich da doof stehen. Mitten im Mittelmeer. Mit einem Buch in der Hand.

Ich ließ meinen fehlerhaften Plan wieder fallen, stopfte das Buch zurück in die Badehose, ging wieder an Land, setzte mich direkt an den Strand, kramte das Buch wieder raus und schlug es auf.

Nur um zu gucken, ob es denn jetzt wenigstens schön unleserlich geworden ist, weil es ja nun auch ordentlich nass geworden war von all der Schwimmerei!

War aber nicht!

Gestochen scharf standen sie noch da, Hendriks ordentliche Buchstaben: mein Name hier – Waldbrand da – Opfer dort ...

Ich klappte es schnell wieder zu und entwarf Plan B: Das Buch wird begraben! An Ort und Stelle! Dafür musste aber logischerweise erst mal ein Loch her.

Anstrengend war's. Extremste Kinderarbeit! Aber ich buddelte wie ein komplett gestörter Dackel immer weiter. Und konnte gar nicht aufhören damit. Das Loch musste tief sein. Es musste alles perfekt sein.

Und als ich dachte, dass nun alles tief und perfekt genug sei, krabbelte ich raus aus meinem Loch und schnappte mir das Buch. Ich warf es rein und dann ...

... quietschte mir wieder was voll ins Gesicht! – Janet!

»WATT WIRD DAT DENN, WENN'S FÄRTICH IS?«

Ich guckte hoch. Total erschrocken. Weil ich war so vertieft in meine Buddelei, dass ich alles andere um mich herum gar nicht mehr mitbekommen habe.

Und deshalb sah ich dann auch zum ersten Mal, dass die kleine Janet mit ihrer Mami direkt vor mir stand – was weiß ich, wie lange schon.

Beide guckten mich an, wie man halt einen zwölfjährigen Jungen anguckt, der wie ein gestörter Dackel ein metertiefes Loch in den Sand buddelt, um da ein Buch reinzuwerfen.

»Ääääh …«, meinte ich und Mami meinte zu ihrem Quiet-sche-Pummel irgendwas und wedelte mit der einen Hand vor ihrem Kopf herum und zeigte mit der anderen auf mich. Dann stampften sie weiter. Den Strand runter.

Ich sah ihnen noch eine Weile nach und dann sah ich nach-denklich in mein perfektes Loch, in dem Hendrik Lehmanns Tagebuch lag und …

… holte es wieder raus.

Kumpel, ich will dich echt nicht langweilen, aber eins sag ich dir: Auch heute Nacht lag ich noch verdammt lange wach in meiner Kiste rum. Weil: Ich dachte nach! Schon wieder!

Janet und ihre Mami brachten mich dazu.

Wenn du so willst, sind die beiden für mich so was wie ein Zeichen des Himmels ... oder Wink des Schicksals ... oder was weiß ich denn, was du so willst!

Jedenfalls traten Janet und Mami gestern fett auf meinen Verschwinde-Plänen rum, und das stimmte mich sehr nachdenklich.

›Das bringt ja alles nichts!‹, dachte ich daher heute Nacht. ›Es bringt rein gar nichts, wenn ich Lehmanns Tagebuch beseitige, mit all seinen störenden Sätzen darin.‹

Weil, was bringt das schon, wenn der Lehmann selbst noch frei durch die Gegend läuft ... mit all den störenden Sätzen im Kopf, die er jederzeit wieder und so oft er will irgendwo reinkritzeln kann, wie er lustig ist. Und selbst wenn er vor seinen Eltern bisher dichtgehalten hat, Lehmann ist und bleibt eine wandelnde Plaudertasche, die jederzeit platzen kann, und dann hat man den Salat!

So gesehen müsste man ja eigentlich ganz logischerweise Nägel mit Köpfen machen! Also verschwinde-technisch gesehen.

Aber weißt du? Ein Buch verschwinden lassen, das ist eine Sache! Aber gleich einen ganzen Menschen? Das tut man nicht! ... ist auch gar nicht erlaubt.

›Es muss mit dem Lehmann geredet werden! Man muss dem Lehmann erklären, was ein Geheimnis ist und dass ein Geheimnis im Großen und Ganzen nur dann ein Geheimnis bleibt, wenn man es auch ordentlich hütet.‹ Das kam jedenfalls bei meiner ganzen Denkerei heute Nacht heraus. Und damit war ich auch ganz zufrieden. Ich hatte einen neuen Plan. Plan C!

... danach wollte ich zur Abwechslung noch ein paar Schafe zählen, die knallten dann aber alle mit ihrer Birne gegen den Bretterzaun, weil ich vorher schon eingepennt bin.

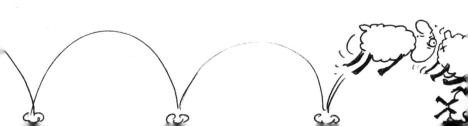

Wie ein König habe ich geschlafen. Bis heute Morgen zehn Uhr. Und dann wurde ich königlich geweckt. Von meiner lieben Schwester.

»Steh auf, du Penner! Du sollst runterkommen!«

»Hm?«

»Aufstehen! Runterkommen! Papa will was von dir!«

»Was?«

»Was weiß ich denn, was. Sehe ich aus wie ein Info-stand? – Mach dich fertig, sonst mach ich es!«

Und dann stampfte sie auch schon wieder aus dem Zimmer.

Ich stand auf, zog mich an, ging aufs Klo und machte ... dies und das! Und während ich *dies und das* machte, dachte ich darüber nach, wie ich heute mit Hendrik Lehmann reden würde. Und wo überhaupt. Weil, das war ja auch noch gar nicht raus, ob ich den Hendrik Lehmann heute überhaupt treffe. Weil, keine Ahnung, was die Lehmanns heut so machen und was bei uns so auf dem Programm steht.

Dann schlurfte ich die Treppe runter und überlegte, dass es das Cleverste wäre, ihn einfach anzurufen. Weil meine Eltern haben ja die Nummer von den Lehmanns, und das wäre dann auch superpraktisch, weil Telefonieren ist zum Reden ja genauso gut und dann muss man sich ja auch gar nicht mehr großartig treffen.

Aber als ich die Schwingtür zum Frühstücksraum auftrat, dachte ich darüber nach, dass Papa es vielleicht ein bisschen komisch finden würde, dass ich ausgerechnet mit Hendrik Lehmann sprechen will, wo ich ihm doch schon gesagt habe, dass Hendrik Lehmann ein Idiot ist, und dann ...

... saß der Hendrik Lehmann neben Papa am Frühstückstisch!

»Oh! Guten Morgen, Jan! Ist das nicht aufregend?«, quäkte er mir entgegen.

»??? ??? ??? ???«

»Psst, Hendrik! Das soll doch eine Überraschung sein«, sagt Herr Lehmann, der ebenfalls am Frühstückstisch sitzt.

»HÄ?«, frage ich.

»Das heißt *Wie bitte?* und *Guten Morgen!* heißt es auch!«, sagt Papa fröhlich.

»Äh... 'schuldigung – 'Morg'n! – Welche Überraschung? ... und wo sind Mama und Dings?«

»Mama und **Hannah** sind gerade los. Mit Frau Lehmann nach Como – Shoppingtour!«, grinst Papa.

Und dann platzte Hendrik!

... also mehr so aus ihm heraus: **»MONZA, JAN! WIR FAHREN ZUSAMMEN NACH MONZA! IST DAS NICHT AUFREGEND? MONZA!«**

Monza! **DIE** Rennstrecke der Königsklasse – Formel 1! – *Monza!* Ja, das war nun wirklich aufregend. Aber echt! Muss ich sagen. Und eine Überraschung sowieso. Hätte nie gedacht, dass sich Spaßbremse Lehmann dafür so begeistern könnte.

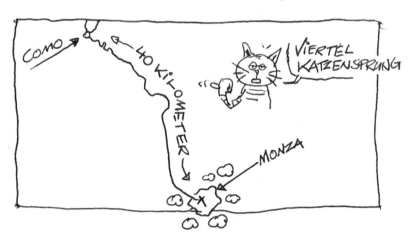

»MÄNNERAUSFLUG!«, rief Herr Lehmann vergnügt und bog auf die Hauptstraße ab, die direkt nach Monza geht. Dann stemmte er seine Arme wie ein Formel-1-Pilot in das Lenkrad und beschleunigte den *Opel Astra Caravan Diesel TD Dream* auf abenteuerliche 90 Stundenkilometer.

»Testfahrten machen die da heute, oder? – Bin ja mal echt gespannt«, log mein Vater.

»Ja, richtig, Herr Hensen! Pilotentraining! Für den Großen Preis von Italien in drei Wochen«, hätte sich Hendrik Lehmann dann echt sparen können, meinem Vater zu erklären.

Weil ich war nur noch gespannt, wann der Satz meines Vaters fiel, der immer fällt, wenn von Formel 1 die Rede ist, und stoppte die Zeit: *eins... zwei... drei... vier...*

»Und die fahren da alle nur im Kreis rum. ... Cool!«, fiel der Satz in einer neuen Rekordzeit von *fünf* Sekunden aus dem Mund meines Vaters.

»Jaaa, Papa – immer nur im Kreis rum«, wiederhole ich angenervt, und weil ich anscheinend der Einzige bin, der hier peilt, dass mein Herr Vater sich mal wieder ein kleines bisschen lustig macht über den Rennsport und über alle, die sich dafür interessieren – weil ich das also peile, schiebe ich nach: »Die machen manchmal auch Oldtimer-Rennen da. Du weißt schon, Papa! Mit so **superteuren** Schlitten! **Jaguar E-Type V12 von 1974** und so was!!!«

»… … mpf!«, macht Papa und verkneift sich für den Rest des Tages seine superlustigen Sprüchlein über Rennsport.

»MÄNNERAUSFLUG! HAHAAA!!! GROSSARTIG!«, ruft Herr Lehmann wieder glücklich und zu seinem Sohn normal weiter: »…ähm, Hendrik? Könntest du bitte mit dem Geruckel am Sitz aufhören? Das nervt ein bisschen beim Fahren.«

Und dann, mein Freund, folgte die zweite dicke Überraschung des Tages:

»Ich suche mein Tagebuch!«, antwortet Hendrik Lehmann und versucht aufs Neue, verklebte Zeitschriften aus der Ablage vom Fahrersitz herauszuruckeln.

»Och nöööö… – nich schon wieder, Hendrik!«, jammert Herr Lehmann. »Du musst echt mal ein bisschen ordentlicher werden! – Echter Saustall dahinten.«

»Ich **BIN** ordentlich!«, behauptet Hendrik kackendreist und schafft es endlich, seinen ganzen verklebten Müll aus dem Fach zu ziehen. »Hier ist es nicht!«

Und Herr Lehmann wieder: »Und unterm Sitz? Vielleicht ist es ja da druntergerutscht.«

Hendrik fummelt Verbandskasten und Kram unterm Sitz hervor und findet sein Tagebuch da natürlich nicht, weil es da logischerweise nicht mehr sein kann – seit gestern, seit unserer Fahrt zur Riviera.

»Da ist es auch nicht«, sagt Hendrik und pfropft alles wieder zurück.

»Das wird schon irgendwo wieder auftauchen«, tröstet Herr Lehmann. »Und überhaupt: Warum fällt dir ausgerechnet jetzt ein, danach zu suchen?«

»Weil ich bis gerade einfach nicht mehr dran gedacht habe! Wegen dem iPad!«, antwortet Hendrik.

»Das ist nicht logisch!«, stellt Herr Lehmann fest.

»Doch, natürlich ist es das! Weil ich ja jetzt nur noch da reinschreibe«, klärt Hendrik seinen Vater auf und dann mich: »Das iPad hat nämlich eine Bildschirm-Tastatur. Wusstest du das, Jan?«

»Echt? ... cool!«, stelle ich mich blöd, weil ich ja später noch mit Hendrik Lehmann über das ein oder andere reden wollte und das bringt dann nichts, wenn die Stimmung vorher schon im Keller ist, obwohl ich diesem Vollidioten eigentlich hätte antworten müssen: ›Für wie dämlich hältst du mich eigentlich, Lehmann! Jedes beschissene Aldi-Handy hat mittlerweile eine Bildschirm-Tastatur.‹

* KLEINE FRAGE AM RANDE: WARUM FAHREN DIE

Und außerdem, mein Freund, war ich ja auch noch viel zu sehr mit der zweiten dicken Überraschung des Tages beschäftigt. Komplett baff war ich! – Hendrik hatte sein Tagebuch gar nicht unter dem Fahrersitz versteckt! Nicht mal das! Der Idiot hatte es einfach nur verschlampt.

Und als er dann auch noch anfing, auf meiner Seite den Boden nach dem Buch abzuklopfen, musste ich mich echt zusammenreißen, um nicht wie beim Kindergeburtstag-Topfschlagen dauernd zu brüllen: *Kalt! – Kalt! – Kalt! – Noch kälter!*

Und: *Warm! – Warm! – Warm! – Heiß!!!* musste ich mir dann auch verkneifen, als Hendrik kurzfristig meinen Rucksack hochgehoben hat, um auch darunter nach dem Buch zu suchen. Da war es nämlich noch drin, Hendriks Tagebuch. In meinem Rucksack, aber nicht drunter! *– Kalt! – Kalt! – Kalt!*

HÖNNN!

HIER IRGENOWO
7 GÄNGE
+ 1 RÜCKWÄRTSGANG!
(KEINE AHNUNG, WOFÜR)

HIER EIN BISSCHEN HÄSSLICH!

FERRARI F150

Monza! Es ist Wahnsinn! – Du stehst da hinter einer Absperrung und direkt vor deiner Nase donnern die Rennwagen mit 350 Sachen an dir vorbei. Es ist tierisch laut, es duftet nach Benzin und verbrannten Gummireifen und – ohne Scheiß – der Boden unter dir zittert.

»**Wow!**«, brüllt Herr Lehmann.

»**Supi!**«, brüllt Hendrik Lehmann.

»**Gahiel!**«, brülle ich.

»**Noch jemand eine Apfelschorle?**«, brüllt mein Vater und hält sich wieder die Ohren zu, als ein Ferrari mit göttlichen 810 PS an uns vorüberfliegt.

»Warte, Thomas! Ich komm mit«, sagt Herr Lehmann.

»... und nicht über die Straße rennen, Kinder! *Höhöhö*«, musste mein superlustiger Herr Vater seinen Hammergag noch raushauen, bevor beide dann in Richtung Getränkestand verschwanden.

Und dann war sie plötzlich da, die Gelegenheit! Ich war mit Hendrik allein! Ich konnte mit ihm reden. Ihm die ganze Sache mit der Geheimnishüterei erklären. ... und bei der Gelegenheit auch noch mal geschickt nachhaken, ob er denn ganz vielleicht, rein zufällig irgendetwas wüsste – über die Brandnacht und ihre möglichen Todesopfer.

Dann wusste ich aber nicht so recht, wie ich anfangen sollte, und hab überlegt, dass es das Cleverste wäre, sich erst mal ordentlich bei dem Hendrik zu entschuldigen. Was weiß ich – zum Beispiel, dass wir ihn haben sitzen lassen, da mutterseelenallein im Harz. Oder wegen dem Haufen Schuld, den meine Kumpels und ich ihm ordentlich in die Schuhe geschoben haben. ... Woran der Blödmann natürlich selbst schuld war, dass wir's getan haben, aber egal: Erst mal ordentlich entschuldigen bei dem Hendrik und dann freut er sich bestimmt. Weil wenn er sich freut, dann ist die Stimmung doch auch gleich viel besser und dann lässt es sich auch viel besser reden, wenn die Stimmung gut ist.

»**Es tut mir voll leid!**«, brülle ich Hendrik also voll ins Ohr, obwohl gerade gar kein Rennwagen da ist, gegen den man hätte anbrüllen müssen.

»Hm? Was denn?«, fragt Hendrik zurück.

»Na **alles!**«

»Was – *alles!*«

»Boah, Lehmann! Stell dich nicht blöder an, als du bist! Du weißt ganz genau, was ich meine!«

»Nein, weiß ich nicht, **Hensen!** Und ganz ehrlich: Allmählich reicht es mir! Ich hab die ganze Zeit echt versucht, nett zu dir zu sein! Und das, obwohl ich ...«

»Obwohl *du was* – **LEH-MANN?**«

»Ach – gar nichts! Vergiss es!«

»*Was* soll ich vergessen?«

»**ALLES!** Vergiss es einfach, ja?«

»Was soll der Scheiß, Lehmann? Wie soll ich **ALLES** vergessen, wenn ich nicht mal weiß, was **ALLES** ist?«

»Du weißt so vieles nicht, Jan Hensen!«

»**BOAH ... ... LEHMANN! PASS AUF, WAS DU SAGST, SONST ...**«

»... sonst **WAS?**«

LÄCHERLICH!

Und darauf konnte ich diesem eingebildeten Hochbegabten-vollarsch gar nicht mehr antworten, weil in dem Moment auch schon wieder Herr Lehmann und Papa mit den Getränken zurückkamen.

»Na Jungs? Unterhaltet ihr euch auch gut?«, fragte Papa.

»... äh ... ja, Papa! Supergespräch hier!«, antwortete ich und musste mich echt zusammenreißen, Hendrik meinen Becher Apfelschorle nicht voll ins Gesicht zu schütten.

... kein guter Anfang für ein Gespräch! Dumm gelaufen, irgendwie! Und deswegen haben Hendrik und ich dann auch so gut wie gar nicht mehr miteinander geredet. Auch auf der Rückfahrt nicht.

»Alles klar bei euch, Männer? Ihr seid so still«, fragte Herr Lehmann von seinem Opel-Kombi-Pilotensitz aus.

»Ach, lass die mal, Peter! Die sind bestimmt total platt. – Oder, Jungs?«, meinte mein Vater dann.

»...hm? ...ähm-ja, Papa! – Komplett fertig!«, antwortete ich, was natürlich komplett gelogen war.

Auf hundertachtzig war ich! – Da reicht man einem schon die Hand und was passiert? Draufgeschissen wird, auf die Hand, die hingereichte!

Okay, Kumpel! Kann gut sein, dass du jetzt hier anfängst, selbstständig zu denken: ›Da hat der Jan aber auch ein kleines bisschen selber Schuld dran.‹

Kann sein, dass du so denkst, und vielleicht hast du ja auch ein kleines bisschen recht damit!

Nun ist die Sache aber nun mal die, dass ich trotzdem auf hundertachtzig war und im nächsten Moment sogar auf hundertneunzig, als Hendrik-Arschloch-Lehmann wieder anfing, seine Müllhalde auf den Kopf zu stellen, um sein Tagebuch zu suchen. Sehr nervig!

»**KALT!**«, sage ich zu ihm.

»Wie – *KALT?*«, fragt Hendrik angenervt zurück.

»Da ist es nicht, dein Tagebuch! – *KALT* eben!«

»Woher willst ausgerechnet du das denn wissen, du Blödm... ... ...«

Und dann fehlten dem Hendrik doch glatt ein paar Silben, als er nämlich sah, wie ich lässig meinen Rucksack aufmachte, superlässig sein Tagebuch herauszog und es ihm dann super-oberlässig vor die Nase hielt.

Das war jetzt so wirklich nicht geplant von mir, aber manchmal sind die spontanen Einfälle die besten.

»Wirklich alles klar dahinten bei euch?«, fragte Herr Lehmann noch einmal von vorne.

Und weil der arme Hendrik ganz erstaunlicherweise immer noch komplett sprachlos war, antwortete ich für uns beide: »Alles bestens, Herr Lehmann! Der Hendrik hat gerade sein Tagebuch wiedergefunden!«

»Na, Gott sei Dank!«

»Ja, Herr Lehmann! Gott sei Dank!«, sagte ich noch mal und freute mich sehr, als ich sah, dass Hendrik vor lauter Wut heimlich heulte!

Und jetzt, mein Freund, mach ich hier mal einen schönen Punkt für heute. Es ist so spät noch nicht. 21.25 Uhr, um genau zu sein. Aber ich werde nun schlafen können wie ein königliches Baby. Und das ganz ohne Schafe-Zählerei.

Das war ein sehr schöner Tag und ich bin sehr zufrieden mit mir. Weil, wenn ich's recht bedenke, kann ich mir jedes weitere Gespräch mit Vollidiot Lehmann nach dieser sehr coolen Nummer von mir komplett sparen. Weil ich – Jan Hensen, der

Mangel-Kompetente – habe dem Höchstbegabten auf spielerische Art und Weise beigebracht: Pass demnächst besser auf dein scheiß Tagebuch auf und werde ordentlicher! – Und das ganz ohne Worte! Genial!

Und außerdem, Kumpel, habe ich soeben endgültig beschlossen, dass es keine Opfer gab! Kein Machwitz und kein sonst wer! Da war kein Schwein in der Hütte und fertig! – Lehmann spinnt!!!

Also Schwamm drüber jetzt! Über Machwitz und den kompletten Waldbrand sowieso!

... es gäbe vielleicht eine Sache, die meinen Tag noch schöner machen würde, überlege ich gerade.

Hat was mit Hannah zu tun, dem hohlen Ding von nebenan hier ... und einer Zahnpastatube.

... aber ich lass das doch mal besser bleiben. Weil dieser erste Streich könnte dann auch mein letzter sein. ... ganz sicher sogar!

TAG 12

Heute ist *Entspann-Tag*!

Kumpel, ich schwöre dir, dieses bescheuerte Wort habe nicht ich erfunden! Mama war's!

»Heute machen wir mal einen Entspann-Tag, Kinder!«, sagte sie zu mir und diesem großen Mädchen, das immer *ganz wenig denken tut*. Und Papa war anscheinend auch gemeint, weil der antwortete: »Gute Idee, Schatz!«

Und ich dann mit Papas Brummelstimme hinterher, also so tief ich kann: »Klar, Schatz! Entspann-Tag! *Brummel-brummel* ... was ist das?«

»Entspann-Tag, Jan! Sich wohlfühlen! Nur Dinge tun, die man wirklich tun möchte«, erklärte Mama.

»Ich möchte Hannah verprügeln!«, sage ich.

»Ich möchte meinen kleinen Bruder töten!«, sagt Hannah.

»Ich möchte, dass ihr euch endlich mal wie normale Geschwister verhaltet!«, brummelt Papa.

»Hannah ist nicht *normal*!«, sage ich.

»Jan ist *verhaltens*gestört!«, sagt Hannah.

»**ENTSPANN-TAG!**«, sagt Mama angenervt und sammelte dann vernünftige Wohlfühl-Vorschläge, über die dann abgestimmt wurden.

Drei zu eins fürs Strandbad! Mamas Vorschlag, noch mal die Berge hoch- und runterzulatschen, wurde ganz klar überstimmt.

Tja, mein Freund, und jetzt liege ich hier am Strandbad wahnsinnig entspannt neben meiner Schwester unterm Sonnenschirm und die guckt mich gerade so entspannt an wie ein Pitbull, weil sie nämlich nicht will, dass ich neben ihr unterm Sonnenschirm liege, und ich eigentlich auch nicht, aber das Ding ist nun mal, dass ich ganz klar eine Zehntelsekunde zuerst hier war. Daher!

Noch wenig los hier! Dimimitrie und seine Eltern aus Transsilvanien kann ich nirgendwo entdecken. Jasper und Eltern kommen erst später. Nur die Eltern von Hendrik sind schon da und Hendrik selber natürlich auch. Sie liegen nur einen Steinwurf von meinem Platz entfernt.

... was ich zu gern ja mal nachprüfen würde, ob das mit der Entfernung passt, aber hier liegt gerade kein Stein rum.

»*Steine werfen!* – So viel Gewalt! So unentspannt! Warum denn nur, Jan?«, könntest du mich jetzt fragen.

Worauf ich dir ganz klar antworten müsste: »Weil Hendrik Lehmann mir ganz unplanmäßig dann doch noch mal die komplette Nacht versaut hat! Weil ich unplanmäßig einen wirklich, wirklich schlimmen Albtraum hatte, und daran ist nur der Hendrik schuld!«

»Aha?«, machst du jetzt dann vielleicht einen auf ganz verständnisvoll und denkst dir aber nebenbei, dass der Jan Hensen wirklich nicht mehr alle Tassen im Schrank hat, weil

da kann ja nicht mal der Hendrik Lehmann was für, wenn der Jan Hensen schlimme Albträume hat.
Wo ich dir ja auch irgendwie wieder recht geben muss und ich werfe ja auch gar keinen Stein, weil eh keiner hier rumliegt.

Aber trotzdem – dieser Albtraum, der war echt abgefahren ...
   ... Ich gehe am Strand der Riviera entlang. Es ist heiß und absolut windstill. Der Strand ist menschenleer und in dem spiegelglatten Wasser auch nix los ...

... außer einem Flusspferdkind, das auf einem Tagebuch mit Segel rumsurft. Dem Horizont entgegen. Und das ganz erstaunlicherweise ohne jeden Wind.

»DAS IST PHYSIK, DU BLÖDMANN!«, quietscht das

Flusspferdkind zu mir rüber und verschwindet dann am Horizont.

Ich schüttle kurz den Kopf und gehe weiter.

Dann erkenne ich drei Jungs, die im Sand spielen. Weit weg noch. Sie hocken da und ich kann nur ihre Schulranzen sehen, die sie auf ihren Rücken tragen. Ich weiß nicht, wer sie sind und was sie da tun.

Dann heben sie ihre Köpfe und drehen sich zu mir um. Absolut gleichzeitig. Sehr langsam. Sehr unheimlich.

Es sind Torsten, Carsten und Sören. Die Mathebuch-Freaks. Sie winken mich stumm zu sich herüber.

Ich gehe auf sie zu und dann sehe ich, dass diese Typen irgendwas aus Sand zusammenmatschen. Eine Sandburg vielleicht oder einen Apfelkuchen. Keine Ahnung, was es ist.

Und als ich noch näher komme, erkenne ich aber, was es ist: Hendrik Lehmann! Aus Sand! Sehr gekonnt! Sehr echt! So echt, dass der Hendrik Lehmann aus Sand sich auf einmal gruselig vom Boden erhebt und mit seinem rieselnden Finger auf mich zeigt.

Irgendwie ist die Stimmung hier nicht ganz so prickelnd und ich kriege allmählich auch ein kleines bisschen Schiss.

»Yooo Lehmann! Cooles Outfit!«, mache ich daher einen auf Gute-Laune-Bär.

Worauf Hendrik Lehmann aus Sand aber irgendwie so gar nicht reagiert und Torsten, Carsten und Sören befiehlt:

»ZERTEILT IHN IN 13 485 TEILE UND GEBT SABINE HIERVON 1/8 AB!«

Die drei Mathebuch-Zombies ziehen messerscharfe Tortenheber aus ihren Ranzen und kriechen auf mich zu.

Die Stimmung ist hier wirklich ganz ordentlich im Keller und ich kriege Panik. Ich renne weg. Aber weil man sich in solchen bescheuerten Träumen auf der Flucht immer nur in Zeitlupe bewegen kann, kriegen sie mich.

Sie greifen nach meinen Knöcheln, ziehen mich runter in den Sand und holen mit ihren Tortenhebern zum ersten Stich aus.

»BITTE, HENDRIK! TU DAS NICHT! BITTEBITTEBITTE! WAS HAB ICH DENN GETAN?«, heule ich los.

»**WARTET!**«, befiehlt Hendrik.

Torsten, Carsten, Sören warten. Wie bei einem DVD-Rekorder, bei dem man kurz auf Pause drückt, wenn man die nächste Filmszene nicht verpassen will, weil man gerade mal aufs Klo muss.

Absolut regungslos halten sie also ihre Tortenheber-Mordwerkzeuge über ihren Köpfen.

»WAS DU GETAN HAST, JAN HENSEN?«, stellt Hendrik mir eine Frage, die nicht wirklich eine ist und schiebt dann auch gleich die Antwort darauf hinterher:

»DU HAST MIR MEINE STREICHHÖLZER GESTOHLEN UND ...«

»Ich kauf dir neue!«, winsle ich dazwischen.

»... **UND** DU HAST MENSCHEN DAMIT GETÖTET! EINE GANZE FAMILIE HAST DU AUSGELÖSCHT! – HERRN MACHWITZ, FRAU MACHWITZ, IHRE SIEBEN KINDER, SÄMTLICHE GROSSELTERN, EIN AU-PAIR-MÄDCHEN ... UND AUCH EINEN HUND! EINEN KLEINEN, SÜSSEN HUND, DER NOCH NICHT EINMAL STUBENREIN WAR!«

»OH GOTT! DEN HUND AUCH? EINEN KLEINEN, SÜSSEN HUND?«, frage ich wirklich sehr erschüttert nach und jammere dann noch: **»ES TUT MIR ALLES SO SCHRECKLICH LEID! BITTE TÖTE MICH NICHT! ZERTEIL MICH NICHT! BITTEBITTEBIT...!«**

»ZERTEILT IHN!«, befiehlt Hendrik.

Der DVD-Rekorder läuft weiter – also die Tortenheber von Torsten, Carsten und Sören schießen mit einem messerscharfen Geräusch auf mich nieder und dann ...

... werde ich wach. Ich liege schweißgebadet in meinem Bett. Ich taste mich ganz automatisch ab, ob nicht doch irgendwo 1/8 fehlt.

›Gott sei Dank! Nur ein Traum!‹, denke ich erleichtert, und dann wundere ich mich nur ein bisschen darüber, dass sich mein Bauch so flauschig anfühlt und auf einmal auch ganz nass und warm wird.

Ich reiße die Bettdecke hoch und sehe einen kleinen süßen Hund, der da gerade sein Geschäft macht und dann mit Original-Hendrik-Lehmann-Quäkstimme zu mir sagt: »Oh, hallo Jan! So eine Freude, dass wir alle tot sind!«

Ich kreische los und erst dann bin ich wirklich richtig wach.

Das wusste ich deshalb ganz genau, weil meine linke Wange nämlich auf einmal höllischweh tat und ich in das entnervte Gesicht von Hannah guckte, die mir gerade eine geballert hat, damit ich endlich wach werde und mit dem Gekreische aufhöre, weil sie davon selber wach geworden w...

... tschuldige! Musste da gerade mal 'ne kleine Pause einlegen, weil ich nämlich plötzlich keinen Kuli mehr in der Hand hatte. Weil Prinzesschen Hannah brauchte gerade mal selber einen und da hat sie sich halt den aus meiner Hand gekrallt! Zum Rätsellösen! Hannah, der Einzeller!!!

DER SCHWESTER HIRN
(EXTREMSTE VERGRÖSSERUNG!!!)

BRAVO-RÄTSEL

Und da musste ich mir halt einen neuen besorgen, was hier im Strandbad echt nicht ganz so einfach ist, weil Mama hat keinen und Papa braucht seinen selbst für seine eigenen Worträtsel, die er nicht lösen kann.

Und dann hatte ich aber Glück, weil Dimitryy und seine Eltern doch noch aufgekreuzt sind. Jetzt habe ich einen original russischen Kugelschreiber ... oder mongolisch oder was weiß ich denn, woher die den mitgebracht haben.

★ MOCKBA

← 1-STERNE-HOTEL SEHR WAHRSCHEINLICH!

...ODER KAFFEEMARKE KANN AUCH SEIN!

Jedenfalls: Ein Hammer-Albtraum war das. Und ganz ehrlich, Kumpel? Wenn ich jetzt so zu Hendrik Lehmann rübergucke, dann wird mir immer noch ganz anders, und ich gucke dann auch ganz automatisch, ob da nicht auch irgendwo Torsten, Carsten und Sören ächzend durch den Sand kriechen.

Kriechen sie aber nicht. Natürlich nicht. Weil es Torsten, Carsten und Sören natürlich auch gar nicht in echt gibt. ... nur in Mathebüchern.

Aber Hendrik Lehmann! Den gibt's in echt! Gerade hockt er da mit **MEINEM** Freund Dimytrie zusammen und spielt mit ihm Schach. Da hat er aber keine Chance gegen den Dschimmitrie. Jedenfalls nicht, wenn der hoffentlich doch aus Russland kommt. Weil da ist es kalt und Fernsehen haben die da auch nicht und deswegen sitzen alle Russen immer mit Pelzmützen vorm Ofen rum und spielen Schach wie die Weltmeister.

DICKER FEHLER!
(HOFFENTLICH!)

Ich würd mir das ja mal gern aus der Nähe angucken, wie Dimütrie Schweinchen Schlau vom Brett fegt, aber dafür müsste ich ja hingehen, was ich aber auf keinen Fall tun werde, weil erstens habe ich null Ahnung von Schach. Und den Gefallen werde ich Lehmann ganz bestimmt nicht tun, dass ich dann blöd nachfragen muss, wer gewinnt und er mir dann vielleicht doch sagt: »Blöde Frage! Ich selbstverständlich in 53 Zügen!« oder so was.

... ach so, zweitens fehlt noch!

Zweitens ist die Kuh Hannah noch ein paar weitere Millimeter auf meine Sonnenschirmplatz-Hälfte vorgerückt. Logisch, dass ich da in so einer Lage nicht einfach aufstehen kann, weil damit würde ich ja die totale Niederlage kampflos eingestehen.

Mama nennt es *Entspann-Tag*. Ich nenne es Krieg!

TAG 13

Heute ist wahrscheinlich Seele-baumeln-lassen-Tag, wenn man meine Mutter fragen würde, ob sie nicht noch irgendeinen bescheuerten Namen auf Lager hat, wie man Urlaubstage benennen könnte.

Es ist zehn Uhr morgens. Die Sonne haut wie geisteskrank die komplette Terrasse mit ihren Strahlen zu und ich sitz mittendrin. Also hier auf der Terrasse von unserer Pension. Neben mir: Hannah, friedlich wie eine Zeitbombe und doof wie der Plastikstuhl, auf dem sie zugestöpselt rumliegt.

Vor mir: der Rasen, auf dem meine Mutter meinen Vater soeben beim Federballspielen vernichtet.

In mir: Finsternis!

Ganz ehrlich, Kumpel? – Ich hab keinen Bock mehr! Morgen ist Abflug und dann war's das hier!

Echter Kack-Urlaub!

Interessiert dich, warum ich so finster drauf bin?

Nein?

Ich sag dir, warum ich so finster drauf bin: Mein Feuerwerk der guten Laune hier hat ganz stark mit Mutters Entspann-Tag von gestern zu tun. Eine Niederlage folgte der nächsten. Und darauf dann noch eine und noch eine ...

189

Zusammengefasst: Mutters Entspann-Tag war eine einzige Katastrophe! Sehr unentspannt alles!

Dass ich den Stellungskrieg unterm Sonnenschirm verlieren würde, war ja irgendwie abzusehen. Trotz der vereinten Schutzmächte, die hinter mir standen. ... also Mama und Papa jetzt. Auf den Liegestühlen, ein paar Meter weiter weg.

Man darf sich halt nie zu sicher fühlen, wenn man es mit einem Feind zu tun hat, der Hannah heißt. Hinterlistig und tückisch ist er, ... *der* Hannah!

Und so hat diese voll kranke Kuh dann auch eine Waffe eingesetzt, auf die man als normaler Mensch erst mal kommen muss, dass es überhaupt eine Waffe sein könnte:

Cola!

Meine Stellung habe ich aber trotzdem nicht aufgegeben. Ich blieb sitzen! Eisern und tapfer ...

... bis dann halt die ersten Wespen angeflogen kamen und sich auf meine cola-verklebte Badehose stürzten. Erst da bin ich dann quiekend aufgesprungen und zum Ufer rübergewetzt, um die Viecher wieder loszuwerden. Weil draufhauen ging ja wohl schlecht!!! ...!

Und auf der kompletten Strecke vom Sonnenschirm bis zum Wasser wurde dann um mich herum viel gekichert und geprustet und mit dem Finger auf meine Badehose gezeigt. Weil die nämlich weiß ist, meine Badehose! Nur wenn Cola drauf ist, dann ist sie halt nicht mehr ganz so weiß und dann sieht sie auch mehr so aus wie eine vollgekackte Windel. ... mit Wespen drauf!

Voll peinlich alles! Aber voll dämlich kam dann noch hinzu, weil ich Blödmann ausgerechnet auch noch an den beiden Schachspielern Dymitr`y und Hendrik Lehmann vorbeiflitzen musste. – In den Sand haben die sich geworfen vor Lachen!

Dann: Endlich der rettende Sprung ins Wasser. Die Wespen war ich los. Nur an den braunen Flecken musste ich halt noch eine Weile *arbeiten*!

Spätestens hier, alter Freund, sollte man ja denken können:
Ab hier Entspannung! Weil schlimmer kann es ja wohl nicht
werden!

Ist aber falsch gedacht! Weil es wurde! ... also schlimmer!

Ich also mit einigermaßen sauberer Badehose zum Sonnenschirm zurück, der logischerweise jetzt komplett besetzt war
von der Vollschattierten. Ich packe meinen ganzen Krempel
zusammen und will gerade los zu Mama und Papa, um denen
ganz klar Bericht zu erstatten, da kann ich aber dann gar nicht
mehr los, weil ich meinen Rucksack nicht finden kann. Der
Rucksack mit meinem Tagebuch drin! Weg!

»Wo ist der Rucksack?«, frage ich vollständig erschrocken.

»Welcher Rucksack?«, fragt Hannah vollständig gelangweilt zurück.

»Meiner! Er ist weg! Er lag hier!«

»Lag er nicht! Und jetzt verpiss dich!«

»Das ist nicht witzig, Hannah! Wo ist er?«

»Äy – bin ich Oma oder was? Hör auf hier rumzubrül-
len! Ich bin nicht taub! – Ich hab deinen scheiß Rucksack
nicht! Musst halt besser aufpassen!«, sagt Hannah noch mal,
quetscht sich wieder den MP3-Top-Ten-Müll in die Ohren und
ist ab da doch wieder taub wie Oma.

Ich will dich, mein Freund, jetzt auch nicht unnötig auf die
Folter spannen ... oder zu Tode langweilen, je nachdem.

Daher kürze ich das mal hier ab: Den ganzen verdammten Tag habe ich noch nach meinem Rucksack gesucht. Sehr verzweifelt! Sehr unentspannt!

Und als ich zum 98sten Mal den Sand da umgrabe, wo der Rucksack zuletzt stand, sagt plötzlich einer hinter mir: »**Kalt!**«

»???«, frage ich, dreh mich um – und wer ist es? – Hendrik Lehmann! Mit meinem Rucksack in der einen Hand! Und einem Buch in der anderen! Meinem Buch!

»Was ...? ... Woher ... ... ? ... – **Duuuuuuu...**«

»... *Vollidiot? Hochbegabtenvollarsch? Spaßbremse?*«, schlägt Hendrik vor. »Kennst du das Schild da vorn am Eingang denn nicht, Jan? *Lassen Sie Tasche und Wertgegenstande nie ohn Aufsicht liege herum!*, steht da drauf.«

Und dann hält er grinsend mein Buch hoch und sagt: »Gar nicht mal so schlecht, Jan! Der Anfang ist es etwas langatmig und die Sätze sind zum Teil doch arg lang. Na ja ... und über den Satzbau müssen wir, glaube ich, gar nicht weiter reden! – Ach ja: Und das mit der *Riviera* stimmt so nicht ganz! Nur die Küste heißt *Riviera*, das Gewässer selbst wird *Ligurisches Meer* genannt!«

Er drückt mir das Buch und den Rucksack in die Hand, grinst »Einen schönen Tag noch!«, und lässt mich so was von doof stehen, dass mir dafür jetzt echt die Worte ausgegangen sind, um dir zur beschreiben, wie doof!

Also alles in allem: Ein echter Kack-Tag war das gestern und der Tag heute wird garantiert nicht viel besser werden! Weil gleich machen wir noch mal eine Tagestour! Mit dem Bus! Zu irgendeinem öden Kaff in der Nähe. Weil Mama es in ihrem Reiseführer gefunden hat, und da stand halt drin, dass es sehr hübsch da sei, in dem öden Kaff da in der Nähe. Was vielleicht sogar stimmt, wenn man drauf steht, in superengen Gassen von dreirädrigen Vespa-Rollern mit 200 Sachen umgenietet zu werden. ... kennt man doch alles schon hier! Ich weiß Bescheid!

Und zur Krönung des Tages kommt dann noch ein Besuch bei den Lehmanns obendrauf. Heute Abend nämlich. So eine Art Abschiedsfest! Die Lehmanns fahren zwar einen Tag später als wir auch wieder nach Hamburg zurück und da könnten sie sich ja auch dort mit meinen Eltern mit Rotwein zuschütten, aber nun – so ist das nun mal! Verstehen muss man das nicht.

Egal! – Ich zieh den Streifen hier noch durch und dann war's das hier. Morgen ist Abflug!

ITO!

OCH NÖ, NE?!

HALT! WARTE!! IRRTUM! ES GEHT DOCH NOCH WEITER...

WEIL...

Der Abend ist gelaufen und jetzt sitz ich hier im Bett rum und kann mal wieder nicht einpennen. Gleich Mitternacht oder so was.

... Hendrik Lehmann ist schon irgendwie cool! Cooler als ich jedenfalls! ... na ja, jetzt will ich's auch echt nicht übertreiben, aber trotzdem ... Riesentyp irgendwie, der Hendrik! Ganz im Ernst!

Nur um das mal klarzustellen, Freundchen: Mit meiner Birne da oben ist alles im Lot! Ich wurde heute Nachmittag nicht von dreirädrigen Rollern umgenietet und Rotwein habe ich heute Abend auch nicht heimlich gesoffen!

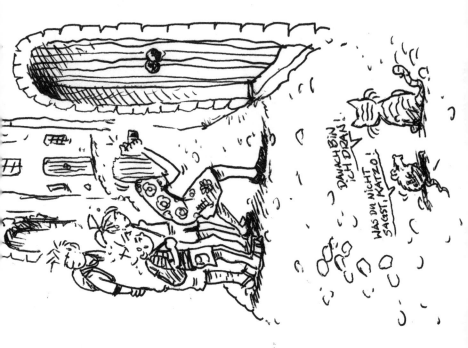

Alles liegt nur daran, dass der Tag dann ganz überraschenderweise komplett anders verlief, als von mir vorausgesagt.

Also gut. – Mit Teil eins lag ich jetzt nicht ganz daneben.
Also mit dieser Tagestour zu diesem öden Kaff in der Nähe:
Bei voller Backofenhitze schlurften wir durch enge Gassen
und mussten dann auch alle fünf Meter stehen bleiben, weil
Mama alle fünf Meter stehen blieb, um die nächste Bruchbu-
de abzuknipsen.

»Mama, das kannst du dir echt sparen! Das gibt's alles
schon bei Street View im Internet. Ehrlich!«, stöhnte Hannah
nach dem 84sten Stopp.

Womit Hannah natürlich absolut recht hatte, aber dann fiel mir was Witziges ein und ich sage zu ihr mit Original-Hendrik-Lehmann-Quäkstimme wie auswendig gelernt runter: »Aber schau doch nur, liebe Hannah! All die hübschen Kopfsteinpflaster-Muster hier und dort, die diese verwinkelten Gässchen schmücken.«

Und da guckt mich Hannah erst groß an, kapiert dann aber den Gag und antwortet im selben Auswendig-Gelerne-Modus: »Oh ja, lieber Jan! All die hübschen Kopfsteinpflaster hier und dort in den verwinkelten Gässchen! Dafür hat sich die Reise allemal gelohnt!«

Und dann lachten wir uns beide schlapp und klatschten uns die Hände ab.

Mama und Papa guckten uns an wie zwei Außerirdische.

Und Mama meinte ein wenig trotzig: »Das ist Kultur, Kinder! So einen Ort besucht man doch nur einmal im Leben!«

»Worauf du einen lassen kannst!«, haute Hannah dann noch mal raus und da war's dann ganz aus mit uns beiden und wir haben uns bepisst vor Lachen.

Dann wieder Busfahren – Como plündern – also Wein kaufen hier – Andenkenkrempel da – Postkarten schreiben – und dann war's auch schon wieder Abend.

Und dieser Teil des Tages fing eigentlich auch genauso an, wie ich schon vorausgesagt hatte. Total krampfig alles!

Ich musste mich nämlich wieder neben Hendrik Lehmann an den Tisch setzen. ... oder er sich eben neben mich, ist ja auch wurscht. Wir saßen halt nebeneinander und keiner von uns hatte groß Bock drauf, neben dem anderen zu sitzen, und weil wir uns gegenseitig wie Luft behandelt haben, ging's dann aber irgendwie.

Die Lehmanns hatten sich echt ins Zeug gelegt. Der ganze Terrassentisch war voll mit den allerfeinsten Sachen. Überall hingen Lampions rum und im Hintergrund wurde auf einer CD hübsch rumgefiedelt.

»Schöne Musik, Brigitte. – Beethoven?«, fragt Papa.

»Aber Herr Hensen!«, quäkt der ungefragte Haufen Luft neben mir. »Das ist von Antonio Vivaldi! – *Die vier Jahreszeiten*!«

»Gibt's auch als Pizza!«, bemerkt Hannah trocken.

Und weil Mama wohl Angst hatte, dass ich auch noch irgendeinen dummen Spruch nachschiebe, hebt sie schnell ihr Weinglas und prostet den Lehmanns zu: »Auf euch, Brigitte und Peter. Das habt ihr wirklich ganz toll gemacht.«

»Aaaach, nicht der Rede wert, Petra!« und »Sind ja nur Kleinigkeiten!«, nuscheln Brigitte und Peter verlegen und – *pling, pling, pling* – geben sie auch endlich den Startschuss fürs Verputzen der Kleinigkeiten.

Danach wurde Hannah wieder in den See geworfen (... also sie wollte wieder freiwillig rein und durfte dann!), es wurde viel geredet und geschwärmt über das schöne Land Italien und auch ein bisschen gelästert über die Leute, die in ihm leben. Darüber, dass Italiener beispielsweise nicht leise sprechen können. Und dass auch ihre Motorroller so schrecklich laut sind wie Kettensägen. Und dass die Italiener fahren wie die Irren und bei jeder Gelegenheit auf die Hupe drücken müssen. ...

... wobei ich an dieser Stelle in die Runde geworfen habe, dass ich das ziemlich geil finde, wie die Italiener Auto fahren! Die steigen ins Auto, schmeißen den Motor an, drücken gleichzeitig auf Gas und Hupe, und das machen sie so lange, bis sie da sind, wo sie hinwollten.

»Dafür bauen die Italiener sehr wahrscheinlich aber auch mehr Unfälle als beispielsweise die Deutschen«, gab Herr Lehmann zu bedenken.

»Na ja ...«, antwortete ich und musste ganz automatisch zu meinem deutschen Vater rüberschielen, der es immerhin fertiggebracht hat, innerhalb von nur zwei Wochen einen Golf-Kombi und eine wertvolle Jaguar-Stoßstange zu zerstören. Ganz zu schweigen von der älteren Dame, die er umgehauen hat.

Und als ob mein Herr Vater meine Gedanken lesen konnte, preschte er mit einem neuen Thema in die Runde, und dann ging es halt nur noch um Politik und Kirche und Wetter und so was.

Aber egal: Der ganze Abend war bis dahin halbwegs okay. Irgendwann wurde Hannah wieder aus dem See gepfiffen, weil Mama und Papa dann auch loswollten.

Was dann aber so gar nicht mehr okay war, dass wir festgehalten wurden!

Die Lehmanns haben meine Eltern nämlich überredet, dass wir alle bei ihnen übernachten in ihrer Riesenhütte.

Mama und Papa kriegten ein eigenes Gästezimmer. Hannah auch! Nur ich nicht! Ich musste bei Hendrik schlafen. Immerhin in einem eigenen Bett, aber trotzdem – das war absolut so was von gar nicht mehr okay! Für Hendrik Lehmann natürlich auch nicht.

Aber da konnten wir beide nichts mehr machen, weil was hätten wir auch sagen sollen.

»Nacht!«, knurre ich.

»Nacht!«, knurrt er zurück und macht das Licht aus.

Ich hau mich knurrend auf die Seite und versuche zu pennen. Zähle Schafe ohne Ende und kann dann aber trotzdem nicht einpennen.

Und bei Schaf 857 fängt Lehmann dann auch noch an, ganz laut zu schniefen.

Schnief!

»Kannst du bitte damit aufhören. Das stört!«

Schnief!

»Lehmann, ich will schlafen! Bitte!«

Schnief!

Komplett sauer fummle ich die Nachttischlampe wieder an, damit ich besser sehen kann, wo genau ich Hendrik Lehmann gleich eine aufs Maul haue, und dann ...

... sehe ich, dass er heult.

»Was ist los? Warum heulst du?«, staune ich.

»Es ist nichts! Lass mich in Ruhe!«, heult Hendrik.

»Wenn nichts ist, dann hör auf zu flennen! Ich will schlafen!«

»Das ist das Einzige, was dich interessiert, nicht wahr, Jan!«

»Ist das eine Frage oder was, Lehmann?!«

»Lass mich in Ruhe! ... schnief.«

»Pfff!«, sage ich noch mal, knips das Licht wieder aus, hau mich auf die Seite, zähle mein 858stes Schaf und ...

Schnief!

... knips das Licht wieder an und frage: **»Was! Ist! Dein! Problem! ... Lehmann!«**

»Du bist mein Problem! ... **Hänn-senn!** Du und deine **Erste-Kumpel-Liga!«**, heult Hendrik plötzlich volles Rohr los und volles Rohr weiter: **»Ohne euch würde es mir jetzt sicher besser gehen! Das kannst du mir glauben. Ohne euch wäre ich jetzt nicht in diesem Schlamassel! Ohne euch müsste ich jetzt auch nicht auf ein Internat, wo ich gar nicht hinwill!«**, und jammert noch ganz bitter hinterher: **»Nach Thü-hü-hü-ringäään!!!«**

»Wie – du willst nicht?«, staune ich wieder.

»Nein! Ich will nicht!«, heult Hendrik wieder.

»Kapiere ich nicht! Ich dachte, das ist genau dein Ding. *Oberliga der ganz Schlauen*! – Na ja, okay – *Thüringen*! Aber mein Gott! Reiß dich zusammen! – Und überhaupt: Was haben wir damit zu kriegen? Also die Jungs und ich. Das ist alles nicht sehr logisch, Lehmann!«

Hendrik rotzt ein Tempo voll, holt einmal tief Luft wie ein kaputter Staubsauger und kann dann aber wenigstens normal weitersprechen, ohne Heulerei also.

»Natürlich ist es logisch! Weil ich ausbaden muss, was ihr mir eingebrockt habt! Weil Krüger ...«, druckst Hendrik dann rum und macht den Satz nicht fertig.

»Weil Krüger *was*! – Erzähl!«

»... ... weil Krüger ... ... (drucks, drucks) ... ... **WEIL ER MICH LOSWERDEN WILL! WEIL ICH IHN ERPRESST HABE, DA IM HARZ!**«

»... **HÄ?** Weil **DU** ihn erpresst hast? Das ist totaler Quatsch! **WIR** haben Krüger erpresst! Die Jungs und ich! Nicht **DU**! **WIR**! Aber vom Allerfeinsten! Richtig platt war der vor lauter Erpressung, der Krüger!«

Hendrik setzt sich auf die Bettkante, lässt sein Tempo auf den Boden fallen, kickt es unter sein Bett und sagt dann: »Weißt du, was dein Problem ist, Jan? – Du denkst wirklich nie nach! Schreibst du nun ja auch selbst! Glaubst du denn allen Ernstes, dass Krüger allein wegen eurer dämlichen Sprüche klein beigegeben hätte?«

Und da hatte der Hendrik ganz klar einen ziemlich wunden Punkt bei mir erwischt. Hatte ich dir ja schon erzählt, dass es ihn gibt, diesen Punkt. – Weil: Null Ahnung, warum der Krüger dichthält wie ein LKW-Reifen. Weil das ja nun mal wirklich totaler Schwachsinn war, was wir dem Krüger da erzählt haben. Also von wegen Nachtwanderung und der sackschweren Fragen und dass wir deshalb vom Weg abgekommen sind und so weiter und so fort.

»**TOTALER** Schwachsinn, was ihr dem Krüger erzählt habt!«, meint dann auch Hendrik noch mal von seiner Bettkante aus.

»Tja ... hm ... öhmm ... stimmt wohl irgendwie! Aber warum hält der Krüger dann trotzdem dicht? Das ist alles sehr unlogisch!«, meine ich darauf von meiner Bettkante aus.

Und weil der Hendrik nervigerweise wieder anfängt, doof rumzudrucksen, wiederhole ich stumpf: »Aber warum hält der Krüger dann trotzdem dicht? Das ist alles sehr unlo...«

»... weil ich das Druckmittel hatte! Weil ich etwas gesehen habe, was ich aber gar nicht hätte sehen dürfen! In der Jugendherberge, zu der ICH übrigens nach meiner eigenen Flucht vor dem Feuer recht schnell zurückgefunden habe ... falls dich das interessiert.«

»Tut es nicht! Was hast du gesehen?«

»Erst mal gar nichts! Stockduster war's in der Jugendherberge. Alle schliefen.«

»Hä? Die schliefen? Alle? Das kann doch nicht sein. Ich meine: Hat sich denn da keiner Sorgen gemacht? Das muss man doch merken, wenn da fünf ganze Schüler fehlen, oder?«, frage ich Hendrik.

»Hab ich mich auch alles gefragt, Jan. Und deshalb bin ich dann ja auch zu Krüger hochgewetzt. Bin in sein Zimmer gepoltert und da lag er dann auch in seinem Bett! ... aber nicht allein! Die Pietsch lag nämlich auch irgendwie da rum.«

»... die Pie...tsch?¿?«, staune ich nicht schlecht.

»Ganz genau! Die Pietsch mit dem Krüger! In einem Bett! Was mir in dem Moment aber ziemlich egal war, ich hatte ja schließlich Wichtigeres zu erzählen! – Und das war **NICHT**, dass ihr ein Feuer gelegt habt! Weil ich habe nämlich **NICHT** gepetzt, Jan Hensen!!!«

»Du ... du hast *nicht*?«, staune ich immer weiter.

»Nein, ich hab **NICHT**!«

»Ach ... du ... Scheiße! Und wir Deppen dachten, dass du ...«

»**DEPPEN!** Das ist das richtige Wort, Jan! Krüger wär gar nicht erst auf die Idee gekommen, dass einer von uns das Feuer gelegt hat. Ich habe ihm weisgemacht, dass wir es entdeckt hätten! **MEHR NICHT!**«

»... ... ...!«, komme ich aus dem Staunen gar nicht mehr raus.

Und dann hat Hendrik mir erzählt, wie Krüger in seine Hose gehüpft ist und wie sie sich beide auf die Socken gemacht haben, um nach uns zu suchen. Bis sie uns dann ja auch fanden. Und wie er da nach unserer Deppen-Parade den Krüger

210

in nur vier kurzen Sätzen quasi k.o. geschlagen hat. Also er-
pressungstechnisch gesehen. – *Ach, Herr Krüger! Sie haben
ja so einen spannenden Beruf! So viel **VERANTWORTUNG!** Ich
frag mich ja manchmal, wie Sie da überhaupt noch in Ruhe
schlafen können – Sie ... **UND FRAU PIETSCH!***

Fällt dir was auf, Kumpel?

... nein? Hm! Egal! Jedenfalls: Es sind exakt dieselben Sätze, die ich dir hier ein paar Seiten vorher noch als ganz, ganz
schlimme Schleimattacke beschrieben habe.

Was sie aber nie waren! Alles andere als das. Ganz klar
verschärfte Erpressungssätze genial in Schleim verpackt.

Wirklich cool, oder? Was für uns Vollpfosten nach tiefster
Arschkriecherei klang, war für Krüger die ganz klare Droh-
botschaft: Wenn **DU**, Krüger, nicht die Klappe halten kannst,
werde **ICH**, Hendrik, es auch nicht können!

Krüger hatte Schiss! Vor Hendrik! Ein Wort von ihm und
sein ganzer guter Ruf wäre dahin. Geschätzte 200 Jahre El-
tern-Einschleim-Arbeit* für die Tonne!

Aber alles in allem: Krüger ist auch nicht doof! Der Mann ist Lehrer! Und wenn du dem selber doof kommst, dann kann der echt ungemütlich werden. Dich kleinkriegen! Dich richtig fertigmachen! Und das auf die ganz freundliche Tour. Die perfekte Krüger-Schleimtour!

Und genau mit diesem Schleimtour-Gegenangriff hat er Hendrik dann auch kleingekriegt und fertiggemacht. Am letzten Tag vor den Ferien, wie Hendrik mir dann erzählt hat. Bei der Zeugnisvergabe.

Ich weiß noch, wie der Krüger den Hendrik vor der ganzen Klasse so dermaßen gelobt hat wegen all seiner Ekel-Einsen auf seinem Zeugnis, dass ich da kurz mit dem Gedanken gespielt habe, meine Schultasche vollzukotzen.

Und dann war die ganze Veranstaltung aber Gott sei Dank irgendwann auch vorbei und Krüger wünschte uns allen noch schöne Ferien und wir durften raus. Außer Hendrik eben. Den hatte Krüger sich dann noch gekrallt. Hat ihm gesagt, dass

Hendrik dieses Wahnsinnszeugnis nur ihm zu verdanken hat. Dass er seine guten Beziehungen zu den Lehrerkollegen hat spielen lassen. Weil er in Hendrik eben einen hochbegabten Schüler sieht. Einer, der nach den Ferien nicht mehr hier sein sollte, sondern auf einem Internat für Hochbegabte eben. Und wenn der Hendrik dieses großzügige Angebot nicht dankbar annimmt, dann kann das richtig übel enden, hat der Krüger ihm dann auch erklärt.

»Weil das weiß man schließlich aus langjähriger Erfahrung, wenn Hochbegabte **NICHT** mehr gefördert werden, dann kann so eine kleine Schule, wie diese hier, auch ganz schnell zur Hölle werden ... **FÜR DIE NÄCHSTEN SECHS JAHRE!**«, hat Krüger dem Hendrik so oder so ähnlich ganz zum Schluss noch mal eine wörtlich reingehauen. Aber alles ganz freundlich! Höchster Schleimlevel!

Und dann hat Krüger seine Tasche gepackt, dem Hendrik ebenfalls noch schöne Ferien gewünscht und alles Gute für die Zukunft auch.

Und dann ist er einfach rausgegangen.

Hat ihn einfach da stehen lassen, den Hendrik.

Im Klassenraum.

Allein.

Komplett sprachlos.

Heulend.

»Üble Geschichte, Hendrik! Aber echt mal!«, hab ich dann irgendwann von meiner Bettkante aus gesagt, als Hendrik mit allem fertig war. »... und warum weiß ich davon nix? Warum stand das nicht in deinem Tagebuch? Du bist doch sonst so pingelig!«, will ich dann aber wissen.

»Tjaja, Jan!«, grinst Hendrik dann zum ersten Mal an diesem Abend. »Es **STAND** drin! Weißt du noch? Kompletter Themenwechsel? *Brandopfer* auf der einen Seite? *Como-Urlaub* auf der nächsten? – Exakt an der Stelle stand alles drin. Und dann habe ich die Seiten aber rausgerissen.«

»Hä? Warum das?«

»Warum? Das liegt doch wohl auf der Hand! – Weil mir das einfach dann doch zu unsicher war, dass dieser Teil der ganzen Geschichte von der **KOMPLETTEN MENSCHHEIT** durch irgendeinen dummen Zufall doch gefunden und gelesen werden könnte!«

»Das ist unlogisch. Das macht jetzt mal so richtig gar keinen Sinn! Total bescheuert ist das sogar!«, maule ich rum.

»Och ... ich weiß nicht!«, grinst Hendrik ein zweites Mal. »Immerhin ist das der einzige Teil der ganzen elenden Geschichte, wo ich vielleicht nicht ganz so korrekt gehandelt habe – mit der Erpressung. Der Rest ist sauber! ... jedenfalls, was mich angeht!«

»Na toll, Lehmann!«, maule ich noch mal und grinse ihn aber auch dabei an. »Und so eine halbe Horrormeldung über **ZAHLREICHE OPFER** lässt du einfach drin! – Meine Fresse! Die hat mich echt Nerven gekostet und extremste Schafezählerei verursacht!«

Und da guckt mich der Hendrik aber verdammt ernst an und schweigt.

Und deshalb sage ich dann noch mal: »Diesem Dings – na, sag schon – diesem ... Machwitz, dem ist nämlich gor nix passiert. Ganz klar: **NEIN!**«

Hendrik guckt ernst und schweigt.

»Kann gar nicht sein, dass dem Machwitz was passiert ist!«, sage ich deshalb **NOCH** einmal und schiebe aber ziemlich unsicher nach: »... oder?«

Ernstes Gucken und Schweigen!

»KOMM LEHMANN! DAS IST JETZT ECHT NICHT MEHR WITZIG! WAS IST MIT DEM MACHWITZ? DER IST DOCH NICHT WIRKLICH TOT! ... ODEEER?«

Und dann, plötzlich, grinst Hendrik Lehmann, dieser kleine Schelm, zum dritten Mal an diesem Abend.

»Da habe ich dir jetzt aber einen ordentlichen Schrecken eingejagt, was, Jan?«, kichert Schelm Lehmann und kichert weiter: »Nein, der Herr Machwitz ist nicht tot! Der war tatsächlich nicht in seiner Hütte. Und **WENN** der denn eine Familie hat, dann lebt die sehr wahrscheinlich auch noch. Niemand kam zu Schaden bei dem Brand. ... auch kein kleiner, süßer Hund!«

Und dann kichert er sich beinah einen in die Hose, als er seinen Finger hebt, auf mich zeigt und extra gruselig sagt:

»ZERTEILT IHN!«

Da hätte ich im ersten Moment ehrlich gesagt vor Schreck die Bettkante vollpinkeln können, als er da meinen *Albtraum-*

Hendrik-Sandmann nachmachte, im zweiten Moment dann aber vor Lachen … also die Bettkante vollpinkeln. (*Hätte können*! **NICHT**: *habe*!) – Hendrik Lehmann kann witzig sein! Wusste ich bis dahin auch noch nicht!

Aber irgendwann guckte er mich dann wirklich noch mal richtig ernst an und meinte:»Weißt du Jan? Wir haben ALLE richtig Schwein gehabt. Und wenn du so willst: Der Machwitz auch. Der muss sich jetzt zwar eine neue Hütte dahinbauen, aber die Versicherung zahlt das ja!«

»Echt?«

»Jau! Echt! Die zahlt alles! Stand jedenfalls im Harzer Tageblatt: Mutmaßliche Brandursache: Kurzschluss in irgendeiner Stromleitung. Brandstiftung ausgeschlossen. Daher!«

»Die armen, armen Versicherungsfritzen!«, gähne ich ein bisschen betroffen.

»Hmhm! Die armen, armen Versicherungsfritzen! Schlimme Sache das!«, gähnte der Hendrik dann auch noch mal.

Es wurde dann ein bisschen schattig und wir legten uns beide wieder ins Bett und machten das Licht aus.

»Gute Nacht, Jan! Schlaf schön!«, sagte Hendrik.

»Gute Nacht, Hendrik! … und: Kopf hoch! Thüringen ist nicht Afghanistan!«, sagte ich.

… so weit, mein Freund! Und jetzt liegt er halt neben mir, der Hendrik. Zusammen mit Teddy Gustav. Beide schlafen wie die Babys.

Nur ich selber hab das Licht dann irgendwann wieder angemacht, weil ich nicht einpennen konnte.

Und ich schätze mal, dass ich auch jetzt noch ein paar Tausend Schafen Bescheid geben muss, damit sie ordentlich vor meiner Birne hin- und herhüpfen.

... weil, echt üble Geschichte! ... Hendrik Lehmann muss die Koffer packen! Wegen Schleimfaktor Krüger!

... und wegen Gerrit, Cemal, Sebastian und mir!

TAG 14

Alles wird gut!

... auch wenn das hier momentan nicht danach aussieht, dass hier überhaupt noch mal irgendetwas gut werden könnte. Weil — momentan sitze ich nämlich doof auf meinem Koffer rum und warte. Auf einem hässlichen Bahnsteig tue ich dieses. Also *warten*.

... also natürlich nicht allein! Papa, Mama und die Verstöpselte sind auch hier und warten.

... also praktisch gesehen wird gerade eine komplette Familie von einer bescheuerten Bimmelbahn dazu gezwungen, auf einem hässlichen Bahnsteig doof auf Koffern rumzusitzen und nichts zu tun außer zu warten. Weil die Bimmelbahn nämlich Verspätung hat. Natürlich hat sie das!

ABER ...

... **EGAL!**

Weil eigentlich wollte ich dir, mein treuer Freund, auch nur mitteilen, dass alles gut wird.

... also diese echt üble Geschichte von Hendrik Lehmann, die kriegt sehr wahrscheinlich ein gutes Ende. Dank mir! Mittels Handy. ... *meinem* Handy!

... habe ich überhaupt schon mal irgendwo erwähnt, dass ich im Besitz eines Handys bin?

Bin mir nicht ganz sicher, aber ich schätze mal – eher **NEIN**!

... was ganz stark damit zusammenhängt, dass ich einfach nicht gern drüber rede.

Also über *mein* Handy rede ich nicht gern. *Mein* Handy ist nämlich ein Abfallprodukt meines Vaters. Also jetzt mal bildlich gesprochen! – Weil: Als mein Herr Vater sich ein neues Handy zulegte, da hat er sein altes ja nicht mehr gebraucht und mir dann eben diesen ... diesen ... diesen **HAUFEN (!!!)** in die Hand gedrückt und stolz gesprochen: »Sohn, das gehört jetzt dir!«

... aber das wollte ich eigentlich alles gar nicht erzählen! Erzählen wollte ich eigentlich nur, dass alles gut wird!

Weil ich alles geregelt habe! Weil ich ein Problemlöser bin! Ein Checker! Hendrik Lehmanns persönlicher Batman!

Und das, obwohl ich Hightech-mäßig gesehen ganz klar unterversorgt bin.

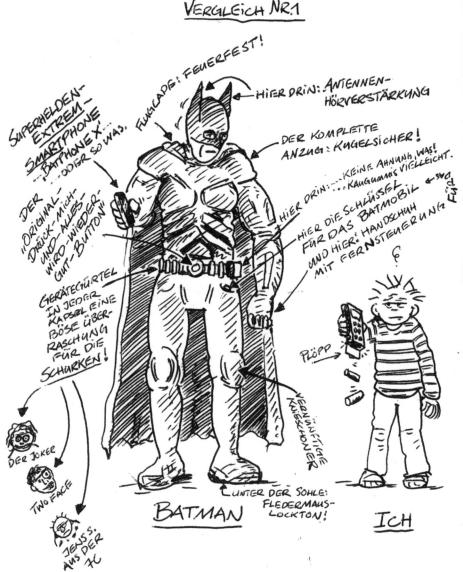

ABER EGAL! ALLES WIRD GUT!

... für Hendrik, wie gesagt! – Nicht für mich! Jedenfalls nicht, solange ich hier gezwungen werde, doof auf einem Koffer rumzusitzen und zu warten.

... scheiß Zug!

Ist doch wahr! Ein echter Witz, das alles!

Weil, seitdem mein genialer Herr Vater den VW-Kombi geschrottet hat, bin ich eigentlich ganz stark davon ausgegangen, dass wir die Heimreise selbstverständlich mit dem Flieger machen.

Also ab nach Mailand – rein in den Flieger – der Captain startet die Triebwerke – die Stewardess stopft dir grinsend ein Bonbon in den Mund – und bevor du den letzten Rest davon zermalmt hast, bist du auch schon – **ZACK** – in Hamburg!

Wie gesagt: **EIGENTLICH** bin ich davon ausgegangen, dass wir selbstverständlich den Flieger nehmen. Aber da war ich wohl nicht so ganz auf dem Laufenden. Weil, mir sagt ja auch keiner was.

Und so erfahre ich dann mal heute Morgen so ganz nebenbei, dass der Flug gestrichen wurde. Vor rund drei Stunden war das. Als wir mit dem Taxi von den Lehmanns zu unserer Null-Sterne-Pension zurückmussten, um die Koffer zu packen ...

... ich frage: **»WAS?«**

Und meine Mutter wiederholt die Frage, die sie mir vor

meiner eigenen gestellt hat: »Freust du dich schon auf die Zugfahrt nach Hause?«

»Welche Zugfahrt? Was ist mit dem Flug? Warum fliegen wir nicht?«

Und Papa dann vom Beifahrersitz aus: »Jan, ich bin nicht Krösus!«

»*Krö*-wer?«, fragt Hannah neben mir doof nach.

»*Krö-sus*!«, antworte ich. »Das war ein cooler Typ, der es draufhatte! Der hatte Kohle ohne Ende und mindestens fünf Porsche in der Garage stehen und zwei Flugzeuge noch dazu, falls eins mal nicht anspringt, wenn er mal eben von Como nach Hamburg fliegen wollte!«

»Ääächt? Wow!«

Papa hat dann einigermaßen angefressen gar nichts mehr gesagt und nur noch stumpf auf die nächste Straßenkurve geguckt, auf die unser italienischer Taxifahrer hupend mit 200 Sachen zugeballert ist.

Und Mama sagt dann aber noch mal: »Ich freu mich auf die Zugfahrt!«

Mit dem **Zug**! Einer lahmarschigen **Blechwurst auf Schienen!** Unglaublich das alles! Ich bin sehr enttäuscht von meinen Eltern!

Aber ist ja auch alles **GANZ EGAL!**

Weil *eigentlich* wollte ich ja auch nur erzählen, wie ich Hendriks Probleme gelöst habe. Per SMS! Und das mit diesem elenden *Fernsprechapparat* aus dem letzten Jahrtausend! Extrem nerviges Finger-Rumgewurschtel, sag ich dir. Da muss man echt schon ein bisschen Zeit mitbringen, um da einen halbwegs vernünftigen Satz auf die Kette zu kriegen!

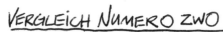

VERGLEICH NUMERO ZWO

HERR BELL (1926)

ICH NOCH MAL (2012!)

PRAKTISCH GESEHEN:
NULL UNTERSCHIED!

Gut war, dass ich davon ja nun auch heute Morgen schon reichlich hatte. Also *Zeit* jetzt! Weil, wie gesagt: Wir fuhren zurück zur Pension, um da die Koffer zu packen. Und da hieß es noch: ... *und trödelt bitte nicht so rum, Kinder!*

Nach fünf Minuten saß **ICH** auf meinem fertig gepackten Koffer auf dem Parkplatz vor der Pension rum! Allein! Wartend auf Papa! Wartend auf Mama! ... und auf *Dings* sowieso!

Nach weiteren 30 Minuten saß ich da immer noch allein doof rum.

Es ist wirklich unglaublich. Die Aufgabe ist so simpel: Klamotten hier − leerer Koffer da − Klamotten rein − Koffer voll − Koffer zu − **FERTIG!**

Die sollen mir noch **EINMAL** mit *mangelnder Lernkompetenz* kommen, dann ...

Aber okay, Kumpel ...

ALLES! GANZ! EGAL!

Weil, worauf ich hier eigentlich die ganze Zeit schon hinauswollte, ist, dass ich da schon einen Haufen Zeit hatte, um ein paar extrem wichtige SMS in diesen **TASTENKLOTZ** reinzudrücken, um diese dann an Gerrit, Cemal und Sebastian zu simsen.

Das Timing war perfekt! − weil gerade, als ich die aller-**aller**letzte SMS an die Kumpels rausgehauen habe, kamen auch schon die kompletten Lehmanns mit ihrem Opel-Renn-schwein auf den Parkplatz der Pension vorgeeiert.

Die sind schon echt nett, die Lehmanns. Kann man echt nicht anders sagen. Weil die hatten sich nämlich gestern Abend schon angeboten, dass sie unseren ganzen Krempel in ihren Opel packen, den wir selbst ja nicht mit nach Hamburg schleppen können. Mangels Kofferraum!

Herrn und Frau Lehmann habe ich dann auch direkt nach oben geschickt. Zu meinen Eltern und der anderen Verwand-ten, die, glaube ich, *Hannah* heißt.

»Die versuchen gerade, Koffer zu packen! ʻKönnten echt Ihre Hilfe gebrauchen«, sage ich zu ihnen.

Und als Hendrik dann aber auch hinterherdackeln wollte, habe ich ihn mir gekrallt und gesagt: »Du NICHT! ... ähm ... BITTE!«

Hendriks Eltern verschwanden in die Pension, er selber blieb, meinte dann aber: »Jan! Ehrlich! Wir müssen nicht mehr reden! Es ist schon in Ord...«

»Klappe halten, Lehmann!«, bitte ich ihn und erkläre: »Ich habe nachgedacht!«

»Oh! Jan! Echter Fortschritt!«, grinst Hendrik. »Worüber denn? Politik? Religion? Teletubbies? ...«

»Boah, Lehmann, BITTÄÄÄ!!!«, bremse ich ihn aus und fahre selber fort: »Pass auf, Hendrik! Zwei Dinge! – Ding 1: Es tut mir wirklich alles schrecklich leid! Und ich möchte mich bei dir entschuldigen! Ganz ernsthaft! – Angenommen?«

Hendrik guckte dann auf meine ausgestreckte Hand. Er war – wie sagt man so was – *ziemlich gerührt* vielleicht? *Von den Gefühlen mächtig durchgeschüttelt*, könnte man vielleicht auch sagen. Jedenfalls guckte er *irgendwie* und meinte dann: »Ach Jan! Das ist wirklich total nett von dir. Ehrlich!

Und – JA! – Ich nehme deine Entschuldigung an!«

»Gut! Sehr gut! Ohne Scheiß! Das freut mich!«, freue ich mich wirklich, schüttle seine Hand durch und komme direkt zu Ding 2: »Ding 2: Du bist ein Vollidiot, Lehmann!«

»????????????????????????«, fragt Hendrik ... geschüttelt, nicht mehr gerührt!

»Ganz im Ernst, Hendrik! Du bist ein Idiot! Weil, so läuft das alles nicht! Wenn du nicht nach Thüringen willst, dann solltest du da auch auf keinen Fall hingehen! Quatsch mit deinen Eltern! Werde **deutlich** ... Scheiße-noch-mal! Die scheinen ja so doof nicht zu sein. Und wenn sie dich auch nur ein kleines bisschen lieb haben, dann schieben sie dich auch nicht ab ... in den Osten, da, auf dieses Hochbegabten-Scheißteil.«

»?«, fällt dem Hendrik noch ein Fragezeichen aus der Birne und sonst nix weiter ein, was er darauf sagen könnte.

»Und was den Krüger angeht: Die Sache ist geregelt! Abgehakt! Wie soll ich sagen: Der Mann hat ausgeschleimt!«, sage ich ihm dann aber noch mal und halte ihm mein Handy ins Gesicht.

»?«

»Der Spaß hat mich bestimmt 10.000 Euro gekostet, aber egal! – Hier, lies!«

Hendrik las.

Also logischerweise zuerst meine erste SMS, die ich an die Kumpels gesimst habe.

Und da muss ich jetzt selber mal sagen: Auf diese erste SMS war ich schon ein bisschen stolz, weil ich es nämlich geschafft habe, in dieser nur einen SMS **ALLES** reinzutippen, was ich dir, mein Freund, hier auch schon auf tausend Seiten erklärt habe.

... also gut: Im Großen und Ganzen jetzt nur alle Neuigkeiten, die Hendrik mir gestern Nacht erzählt hat. Also das über Krüger und Pietsch, über Hendriks Erpressung, und das Krüger sich aber nicht so gerne erpressen lässt und den Hendrik deshalb loswerden will und so weiter und so fort.

Aber trotzdem: Meine Deutschlehrerin, die *Frau Kaulingfrecks* heißt, ... die wirklich so heißt, weil so dermaßen bescheuert kannst du gar nicht sein, dass du dir so einen abgefahrenen Namen ausdenken könntest ...

... **Frau Kaulingfrecks** also würde Tränen weinen vor Glück, wenn sie diese perfekte Zusammenfassung von einem kompletten Roman jetzt lesen könnte.

Kann sie aber nicht. Hendrik aber. Hendrik konnte und las:

> ... *kurz und gut: Hendrik Lehmann ist ein Held und wir Idioten! ABER: Habe eine Lösung für sein Problem! – Wir treten die Sache breit! Die ganze Welt soll wissen, was da gelaufen ist, zwischen Krüger und Pietsch ... in einem Bett ... irgendwie! !!!ABER!!!: DER WALDBRAND BLEIBT LOGISCHER-WEISE TOPSECRET! WEITERHIN ABSOLUTE GE-HEIMSACHE!!! BIS INS GRAB!!! KLAR? ... KLAR!!! Und auch aber klar: Wenn Bettgeschichte öffentlich, hat Schleimfaktor Krüger die Kacke ordentlich am Dampfen! Hendrik dann aber nicht mehr! Weil: einer für alle – alle für einen! (Soll heißen: Hendrik für uns – wir für Hendrik!) ... und dann: KOMPLETT ALLE (wir + Hendrik) GEGEN einen (Schleimfaktor K! :-)! ... KLAR SOWEIT?*

Hendrik stand da auf dem Parkplatz, mit meinem Handy in der Hand und guckte mich aus einem Haufen Fragezeichen baff an.

»Lies einfach weiter!«, sage ich zu ihm und Hendrik las weiter ...

... zuerst Sebastians Antwort:

> *Klar soweit! – Riesengeschichte!*
> *Und Lehmann ein Hammertyp! :-)*
> *PS: Ich will nächstes Jahr neben Lehmann sitzen!*
> *... wenigstens bei den Klassenarbeiten!!!*

... und Gerrits Antwort darauf:

> *Runde Sache! Cooler Plan! Hätte*
> *von mir sein können!*
> *PS: Hempel! – ICH sitz neben*
> *Lehmann! Dass das mal klar ist!*

... und Cemals Antwort darauf dann:

> *Würstel-Krüger mit Sexy-Pittsch! :-* :-* :-* ... uäh!*
> *Egal: VOLL KRASS STABIL ALLES!*
> *:-)) Binischdabei! P-)*
> *PS: Sitze isch voll krass klar neben Lehmann!*
> *Lehmann ist wie Brrruder für misch!*
> *PS PS: ... öhmm ... Was, wenn Krügerschleim*
> *dann selber auspackt? Also wegen scheiß Harz*
> *und scheiß Brand und ganze Scheiße ... {{{:-(*

Hendrik las das alles und guckte mich wieder an. Komplett baff! Komplett sprachlos auch! Daher zeigte er dann praktischerweise nur noch mal auf Cemals letzte Frage. Weil, dann brauchte er sie selber auch nicht noch mal zu stellen.

Und ich dann: »Ach das! Ja, ja, der Cemal, der stellt immer blöde Fragen! – Egal! Antwort folgt! Lies einfach!«

Hendrik las *einfach* ...

... meine Antwort auf Cemals Frage:

> *Soll er nur machen, der Krügerschleim! Dann stellen wir uns blöd und wissen von nix! Was soll er da schon tun, der Krügerschleim?!*

... und darauf dann Sebastian noch mal:

> *Äy – blöd stellen und nix wissen! Kann ich!!! :-)*

... und Gerrit:

> *NOCH blöder, Hempel? Ehrlich? >:-)*

... Sebastian darauf:

> *Arschloch! >:-(*

... und Cemal darauf auch noch mal:

> *ÄY BRRRÜDER! Kein Krrrieg hier! Krrrieg is voll scheiße! <:-(... ihr Arschlöcher! :-))))*
>
> *... und Janny-Boy? Ich schreibs nur ungern, aber: Dein Hammerplan ist irgendwie auch voll scheiße! Weil, wir reden hier von KRÜGER! Die DUNKLE MACHT ... aus Schleim!*
>
> *ABER EGAL: ISCH STERBE FÜR LEHMANN! LEHMANN IST EIN GOTT!*

... und darauf ich dann aber:

> *Niemand muss sterben! Krüger kann*
> *uns gor nix! Weil er hat rein gor nix in*
> *der Hand gegen uns! Wir aber voll!*

... und darauf Cemal wieder:

> *Wenn es das ist, was ich denke, dass es*
> *das ist, will ich es nicht voll in der Hand*
> *haben! Du bist echt ekelig, Hensen!*

... und ich dann eben noch mal in der aller**aller**letzten SMS:

> *Gott, Yildirim!!! ...! TRÜMPFE! Ich*
> *meine TRÜMPFE! Die haben wir gegen*
> *K-Schleim in der Hand! 2 Stück sogar!*
> *Trumpf 1: Waldbrand wurde längst*
> *unter ›Scheiße passiert‹ abgehakt. Also*
> *›Kurzschluss‹ eben! – Brandstiftung?*
> *Mumpitz! Alle sind glücklich!*
> *Trumpf 2: Lehmann selbst! Weil, selbst wenn*
> *man UNS nicht glaubt, dem LEHMANN*
> *immer!!! Der kann nicht lügen! Das weiß*
> *jeder und das zieht!!! (Also normalerweise*
> *kann er das nicht – also lügen! In dem*
> *Fall aber schon! Ich brings ihm bei! :-)*

Und als Hendrik komplett fertig war mit Lesen, gab er mir das Handy zurück. Baff! ... Komplett baff! ... so dermaßen komplett baff, dass ich dir jetzt nicht mal sagen kann, ob es von *dermaßen komplett baff* überhaupt noch eine Steigerung gibt.

»Und weißt du, worauf ich mich am allermeisten freue?«, grinse ich den ... *baffen* Hendrik an.

»???«

»Auf die Reaktion von unserem Sportlehrer, wenn die Geschichte ihre Runde macht!«

»???«

»Unser Sportlehrer, Hendrik! Du weißt schon! – *Herr* Pietsch! Der durchtrainierte Mann von *Frau* Pietsch! ... und Kollege von Schleimsack Krüger! – Ganz großes Sportereignis, sag ich dir!«

Und da grinste der Hendrik dann auch und konnte aber zu allem doch nichts mehr sagen, weil in dem Moment unsere ganzen Eltern (+ 1 Schwester) aus der Pension getorkelt kamen. Schwer bepackt mit 3000 Koffern und Kram.

Also so gesehen kann ich dir nicht mal mit hundertprozentiger Sicherheit sagen, ob wirklich alles gut wird für Hendrik Lehmann. Weil das hat er ja nun mal selbst in der H...

...*and!* – konnte ich eben nicht mehr richtig zu Ende schreiben, weil dann nämlich diese dämliche Eisenbahn tatsächlich doch noch in den Bahnhof reingescheppert kam.

Aber egal alles! **ALLES WIRD GUT!** ... wenn Hendrik denn nur will!

ZUGFAHREN! – Kumpel, ich kann dir echt nicht sagen, was die Leute so toll daran finden!

Es ist anstrengend und nervig! Dauernd sitzt irgendeiner neben dir, den du nicht kennst und auch gar nicht kennenlernen willst, weil er doof aussieht oder schlecht riecht oder beides.

Echt nervig!

Ich sitze eingequetscht zwischen der dunklen Doof-Macht Hannah und einer alten, fetten Frau, die nicht gut riecht. Mir gegenüber: Mama – eingequetscht zwischen Papa und einem Mann, der genauso alt ist wie die alte, fette Frau neben mir, aber nicht so fett ist wie sie, aber sich trotzdem ziemlich breitmacht mit Zeitung, Thermoskanne, Stullen und Kram. Ich schätze mal, dass der zu ihr gehört.

Jedenfalls quatschen beide sich die ganze Zeit gegenseitig voll, wobei ich nicht das Gefühl habe, dass der eine dem anderen überhaupt zuhört. Aber das kann ich auch nicht mit absoluter Bestimmtheit sagen, dass das so ist, weil ich diese Sprache nur brockenweise verstehe. Weil es höchstwahrscheinlich Schwäbisch ist, was die beiden da lallen.

Aber was soll's. Irgendwann werden *Dick und Doof* ja auch mal aussteigen und dann krall ich mir den Fensterplatz von dem Stinke-Walross! Freier Blick auf die Berge!

... aber, mein Freund: Eigentlich habe ich eh keine Zeit, mir die Landschaft anzugucken!

... und, mein Freund: Ich habe eigentlich auch keine Zeit mehr, hier weiterzuschreiben!

Tuts mir leid! Da ich durch meinen Vater gezwungen bin, den Großteil meiner Kindheit in diesem Zug verbringen zu müssen, werde ich nämlich nun das iPad starten und all die wundervollen Spiele spielen, die auf ihm gespeichert sind.

Bevor du jetzt wie wild zurückblätterst und dich vielleicht fragst: **»Häääää??? Warum hat der jetzt ein iPad??? Hab ich da irgendwas übersehen oder was???«** – also bevor du das tust, sag ich dir gleich, dass du dir da einen Wolf suchen kannst. Da steht nix!

Es ist nämlich nun so, dass ich dieses geschmeidige Meisterwerk der Technik erst seit heute Morgen habe.

Hendrik hat es mir gegeben! Also nicht geschenkt! Leihweise, versteht sich! Man verschenkt so etwas ja nicht!

... und eigentlich verleiht man so etwas auch nicht! Das würden nur Idioten tun!

Was aber auch wieder nicht ganz stimmen kann, weil

Hendrik Lehmann musste ich ja endgültig von meiner persönlichen Weltrangliste aller Vollidioten komplett streichen.

Wie auch immer: Heute Morgen, da auf dem Parkplatz vor der Pension, winkten wir dem schwer beladenen Opel-Bomber der Lehmanns hinterher, da blieb der Opel-Bomber dann aber noch mal stehen, Hendrik kletterte noch mal raus und drückte mir das iPad in die Hand.

»?¿?¿?¿?«, frage ich dann zur Abwechslung mal *komplett baff* nach und Hendrik antwortet: »Das möchte ich dir gern leihen, Jan.«

»?¿?¿?¿?«

»Für die lange Zugfahrt!«

»...?¿! ... und du, Hendrik? Was machst du auf der Rückfahrt?«

»Lesen!«

»*Jim Knopf*?«

»Nein. Dieses hier!«

Und dann hielt Hendrik mir wieder ein Buch vor die Nase, das es seiner Meinung nach wert war, kostbare Lebenszeit damit zu verplempern: *Emil und die Detektive.*

... kannte ich natürlich nicht! Kann aber nicht ganz so übel sein, weil unser kleiner Bücherwurm scheint da ja wohl ein gutes Händchen für *lesbare* Bücher zu haben.

Ist auch wurscht! Jedenfalls liegt nun vor mir auf meinem Schoß die genialste Erfindung seit der Entdeckung von Feuer, Rädern, Knüppeln und Kram: das iPad!

Und das ist es mir wert, an dieser Stelle das Schreiben in dieses Notizbuch nun komplett einzustellen ...

... also ich meine damit, dass ich exakt hinter diesem Satz einen endgültigen Punkt machen werde, weil der Urlaub ist eh gelaufen ...

... und was Italien angeht, habe ich dir doch wohl alles Wissenswerte erzählt, was es über Land und Leute zu erzählen gibt, außer vielleicht noch, dass alte Italiener den ganzen Tag draußen auf irgendwelchen Bänken rumsitzen müssen und auf irgendwas warten und italienische Kinder verdammt lange aufbleiben dürfen ...

... und solche Sachen.

PUNKT!

... okay! Ein Satz noch!

Weil, könnte dich vielleicht ja doch noch interessieren! Habe nämlich gerade eine SMS von Hendrik erhalten:

> *Hallo Jan!*
>
> *Habe gerade meinen Eltern gesagt, dass ich nicht auf das SCHEISS Internat will!*
>
> *Mutter bestürzt!*
>
> *Vater enttäuscht!*
>
> *BEIDE aber heilfroh, dass ich es ihnen früh genug gesagt habe! ... weil ich soll es ja gut haben! ... weil sie mich SEHR lieb haben und nicht nur EIN BISSCHEN! :-)*
>
> *Viele Grüße ... und wir sehen uns nach den Sommerferien!*
>
> *Hendrik*
>
> *PS: DU darfst neben mir sitzen! ;-)*

ENDE!